目　录

基于主要期刊论文发表情况的日本汉语语法研究发展趋势*

——《中国语学》、《现代中国语研究》、《日中言语对照研究论集》、《中国语文法研究》上的论文发表情况

前田真砂美
（奈良女子大学）

摘要：本文对日本现代汉语语法研究的发展趋势进行了初步调查，该调查涵盖了以下 4 份在日本出版的学术期刊，即《中国语学》、《现代中国语研究》、《日中言语对照研究论集》、《中国语文法研究》。本文拟从 1947 年以来(主要是 1950 年代以后)每个十年的作者趋势以及论文主题趋势的角度描述日本汉语语法研究的发展趋势。

关键词：日本汉语语法研究；《中国语学》；《现代中国语研究》；《日中言语对照研究论集》；《中国语文法研究》

一、代表性学术期刊

本章将以日本出版的 4 份代表性学术期刊（《中国语学》、《现代中国语研究》、《中国语文法研究》、《日中言语对照研究论集》）为基础，分析当代日本汉语研究的发展趋势。以下数据是截至 2020 年 2 月的数据。除另有说明外，统计中使用的作者数为作者总计人次，其数字包括合著者（如两人合著的，作者人数按两人计算）。

1.1 《中国语学》

1.1.1 基础资料

出版和编辑：日本中国语学会

出版起始日期：1947 年 3 月，《中国语学》第 1 期出版。此后，直到 1950 年第 37 期。从 1951 年第 1 期起，改名为《中国语学研究会会报》。从 1955 年第 34 期起，再次改名为《中国语学》。

出版频率：自创刊至 1971 年每月出版 1 次，自 1972 年起每年出版 1 次（仅在 1973

* 本文为中国国家社科基金重大项目“境外汉语语法学史及数据库建设”（16ZDA209）的阶段性成果。

年至 1975 年期间每年出版 2 次）。自从第 1 期到 2019 年第 266 期，共收录论文达 1117（不包括新书介绍、书评、新闻文章、文件目录等），作者总数为 480 人，总计人次 1128 人(包括合著者)。

每期收录论文篇数（1976 - 2019 年）：6～23 篇、平均约 14 篇

文本语言：日文、中文、英文均可

1.1.2 论文作者人数的变化

图 1 显示日本研究人员与外国研究人员[1]所占作者总数的比例变化。自 1990 年代以来，外国研究人员的比例一直在上升，90 年代占作者总数的 33%左右，2000 年代占 37%，2010 年代约占 43%。这其中包括许多 80 年代后在日本留学，获得硕士或博士学位后在日本继续研究的外国研究人员（Christine Lamarre（柯理思）[2]、雷桂林、李佳樑、卢建、卢涛、鲁晓琨、彭国跃、沈力、时卫国、史彤岚、王亚新、王占华、王志英、吴川、吴志刚、杨达、杨凯荣、尹景春、于康、张恒悦、张佩茹、张勤、章天明、朱继征等）。

图 2 显示作者的研究基地分为“日本国内”和“日本国外”时的比例。研究基地以发表论文时的所属单位为准。“日本国外”包括中国、台湾、美国、德国、法国、波兰、捷克斯洛伐克(当时)、韩国和苏联(当时)。身处国外的研究人员的投稿不多，比如，1990 年代外国研究人员共有 62 人（约占 33%，图 1），但其中只有 2 人（图 2）在日本国外设有研究基地。自 2000 年以来，在外研究人员的投稿略有增加，其中包括根据全国学术年会上的特邀演讲和研讨会内容撰写的论文（曹志耘、冯胜利、郭锐、黄正德、连金发、刘丹青、邵敬敏、陶红印、袁毓林、赵春利等）、为卷首特辑要求国外研究人员投稿的论文（见 3.10），以及在日本进行了一段时间的学习、教学、研究后回国的中国研究人员的投稿。总的来说，大部分外国研究人员的研究基地都在日本（图 1）。

1） “日本研究人员”和“外国研究人员”这一区分，是根据已发表的传记等综合判断的，而不是以国籍为标准。因为这是隐私问题，我们没有对国籍进行调查。

2） 在出版时。

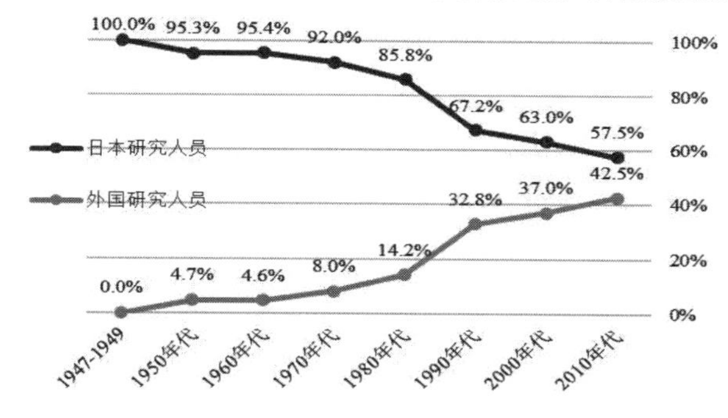

图1 日本研究人员、外国研究人员所占比例(总计人次)

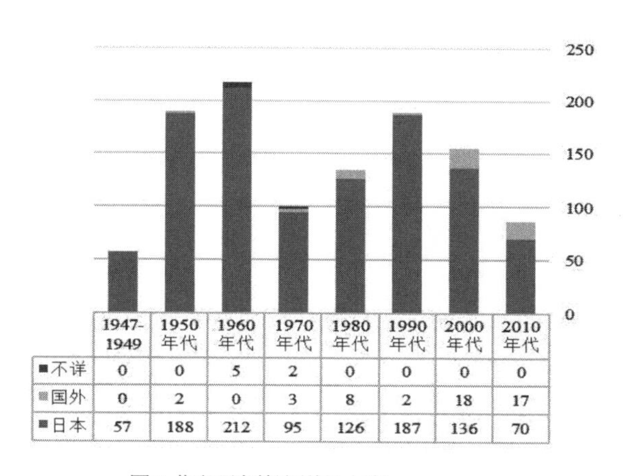

	1947-1949	1950年代	1960年代	1970年代	1980年代	1990年代	2000年代	2010年代
■不详	0	0	5	2	0	0	0	0
■国外	0	2	0	3	8	2	18	17
■日本	57	188	212	95	126	187	136	70

图2 作者研究基地(总计人次)

此外，从近年的趋势来看，研究生（包括预科生等）投稿的论文占一定比例，1990年代约占总数的22%，2000年约占36%，2010年约有29%是由研究生投稿的论文。这些数据高于《现代中国语研究》和《中国语文法研究》（见1.2及1.3），以《现代中国语研究》为例，在2000年至2019年的10年，研究生比例约为6.5%，而且在很多情况下，研究生发表的论文是该研究生的第一篇同行评审论文，这说明一种趋势，《中国语学》往往被选为研究生的学术“首发地”。

1.1.3 研究领域所占比例推移

近年来，日本中国语学会将汉语言学领域划分为七大类：语法・词汇（现代）、语法・词汇（近代)、语法・词汇（上中古)、文字・训诂、音韵、方言、教育，下面将以此分类来考察《中国语学》上发表的论文在各个研究领域中的发展趋势。图3为各期实际发表论文数量，图4为百分比。1950年代、1960年代的实际发表论文数量之所以较多，是因为该刊在1971年前每月出版1次。

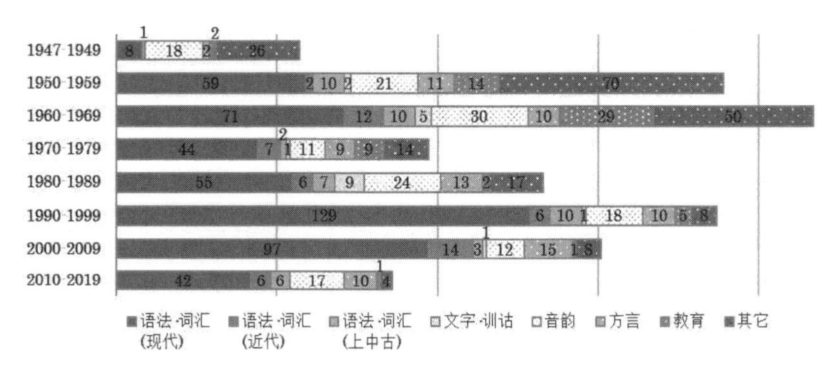

图3 不同研究领域的论文数量推移

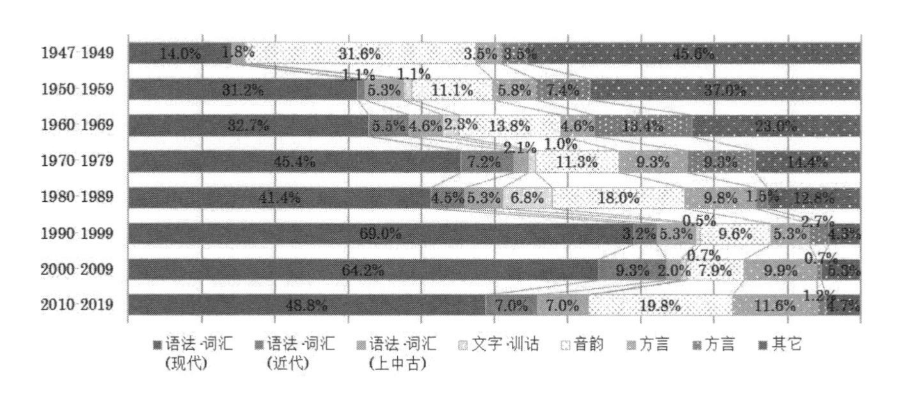

图4 不同研究领域的论文数量占比推移

值得注意的是，关于“语法・词汇（现代）”的论文数量在1950年代大幅增加。我们可以认为，主要原因是1950年代开始普及普通话，普通话被确立为汉语研究的对象之一。在此之后的几十年里“语法・词汇（现代）”所占比例一直都是最高的，说明研究者对现代汉语的语法与词汇的关注度一直很高。“语法・词汇(现代)”在2000年后有所减少，是因为2000年《现代中国语研究》、《中国语文法研究》等学术期刊(见1.2及1.3)相继创刊，专门收录有关现代汉语和语法研究的论文，使得发表论文的机会增加。近年来，“教育”也在下降，但这并不一定意味着人们对这一领域的关心减少了。1997年“全国中国语教育协议会”成立，2002年改制为“中国语教育学会”，2003年开始出版《中国语教育》，由此可见，随着汉语研究成果的积累，研究领域更加细化，研究者选择更专业的期刊发表论文。这反而反映了对汉语教学的高度关注。

“其它”则包括不符合上述“日本中国语学会的七大类”的各种主题。从1960年代到1970年代，这一领域所占比例明显下降，其原因想必是由于汉语言学的研究对象和范围越来越细化，其定义越来越清晰所致。在被归为“其它”的论文中，从1947年到1960年代常见的主题和主要论文列举如下[3]：

〇字典、辞典

「中国語發音字典」の編纂について（金子二郎 1947）

「軽声詞典」について（鳥居鶴美（久靖）1947）

明治期における，中国小説字典について（鳥居久靖 1954）

日汉字典の問題点（有田忠弘 1959）　等。

〇翻译

中国語文の国語訳に関する問題（近藤光男 1953）

白話による初期の翻訳文体について（大河内康憲 1962）

日文中訳に見られる文体較差考（志賀正年 1966）　等。

〇研究方法

中国語学の研究法について（藤堂明保 1954）

古代語法の研究方法に関する一私見—漢書とその注を基として—（牛島徳次 1960）

訓詁研究法と辞書（高橋君平 1964）　等。

〇文学作品、作家

魯迅と葉籟士——ラテン化運動の真の意味について（コマ・マサハル 1948）

琵琶記研究（岩城秀夫 1949）

『玄怪録』の篇数とその名称について（塚本照和 1966）　等。

3) 作者姓名中使用的汉字（简体字或日文汉字）与该论文发表时使用的汉字一致。下同。

○介绍研究史、科研成果

趙元任氏の言語学的業績について（伊地智善継 1948）

アメリカの中国語学―特に最近の傾向について―（伊地智善継 1949）

中国語法学の発展（伊地智善継 1953）

中国の語学界（倉石武四郎 1955）　等。

此外，还需要注意的是，“语法・词汇（上中古）”略有增加，“音韵”在 2010 年代有所增加。这两个领域的增加，可归功于 1990 年代中国新出土的大量文字材料的发现。该刊曾开辟关于上中古音韵研究的卷首特辑（见 3. 10）。

1. 2 《现代中国语研究》

1. 2. 1 基础资料

出版和编辑：《现代中国语研究》编辑委员会。2019 年第 21 期编辑委员为：鲁晓琨、孟子敏、任鹰、王亚新、王占华、杨凯荣、张勤、周刚、朱春跃、朱继征。顾问为史有为。特约编辑委员为曹逢甫、邓守信、范开泰、范晓、冯胜利、岩田礼、木村英树、陆丙甫、大河内康宪、邵敬敏、沈家煊、邢福义、徐烈炯、余蔼芹、袁毓林、张伯江。

出版起始日期：2000 年 10 月

出版频率：每年发行 1 次。仅在 2001 年出版两次。自从第 1 期到 2019 年第 21 期，共收录论文达 281 篇，作者总数为 235 人，总计人次 336 人（包括合著者）。

每期收录论文篇数：9～19 篇、平均约 13 篇

文本语言：日文、中文、英文均可

1. 2. 2 作者比例情况

《现代中国语研究》是以在日中国研究者为主体出版的学术期刊，其特点之一是身处日本国外的研究人员和外国研究人员的投稿较多。从 2000 年第 1 期到 2019 年第 21 期，在外研究人员约占作者总数（总计人次）的 60%（图 5）。中国占大多数，其他国家、地区包括美国、新加坡、法国、荷兰、英国、韩国和台湾。外国研究人员约占 83%，其中约 60%在日本进行研究（图 6）。研究生（包括预科生）约占所有作者（总计人次）的 6.5%。

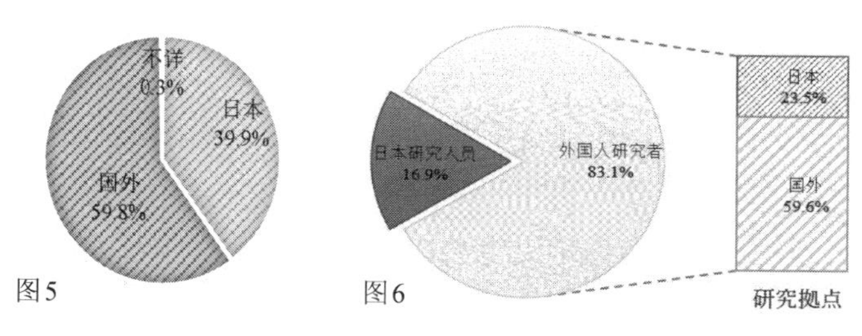

图5　图6

研究基地占比（2000-2019）

1.2.3 作者比例情况

《现代中国语研究》，顾名思义，以现代汉语为主要研究对象，因此，考察现代汉语语法和词汇的（即上面提到的“日本中国语学会七大类”中的“语法・词汇（现代）”）较多，约占总数的76%（图7）。另一方面，值得注意的是，“方言”也占了一定的比例。“其它”包括书面语和口语、文风、字形等。

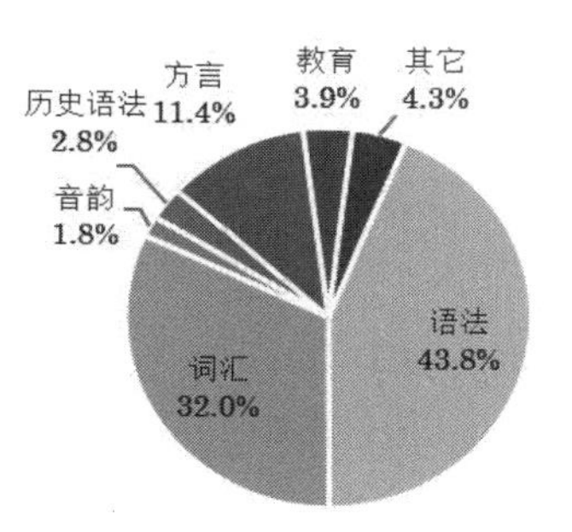

图7　不同研究领域比例(2000-2019)

1.3 《中国语文法研究》

1.3.1 基础资料

出版和编辑：中国语文法研究会。2019年编辑委员为：陈学雄、任鹰、时卫国、王棋、王占华、于康、张黎。特约编辑委员为：方梅、郭锐、金立鑫、赵春利、张旺熹、张谊生。

出版起始日期：2012年

出版频率：每年出版1次。自从2012年第1期到2019年第8期，共收录论文达118篇，作者总数为109人、总计人次131人(包括合著者)。

每期收录论文篇数：12～18篇、平均约15篇

文本语言：中文

1.3.2 作者比例情况

《中国语文法研究》的作者比例与上述《现代中国语研究》非常相似。虽然该刊文本语言仅限于中文，但作者比例并没有因此而出现偏差，在外研究者的比例约占作者总数（总计人次）的58%（图9），与《现代中国语研究》一样，大部分是中国，“其它”包括新加坡、法国、韩国和台湾。研究生(含预科生)约占总人数的16%。

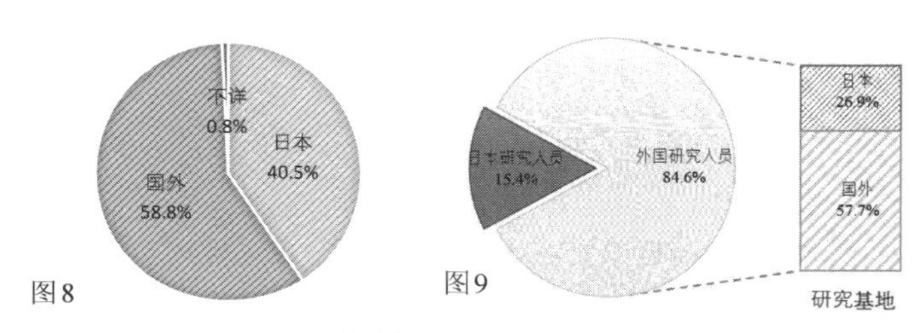

图8　图9

研究基地占比(2012-2019)

1.3.3 研究领域比例

《中国语文法研究》是一份专门收录语法研究论文的期刊，考察语法和词汇（即上面提到的“日本中国语学会七大类”中的“语法·词汇(现代)”)之外的研究极为少有(图10)。关于历史语法的文章也很少。“其它”包括与研究史、文风和书法等有关的文章。

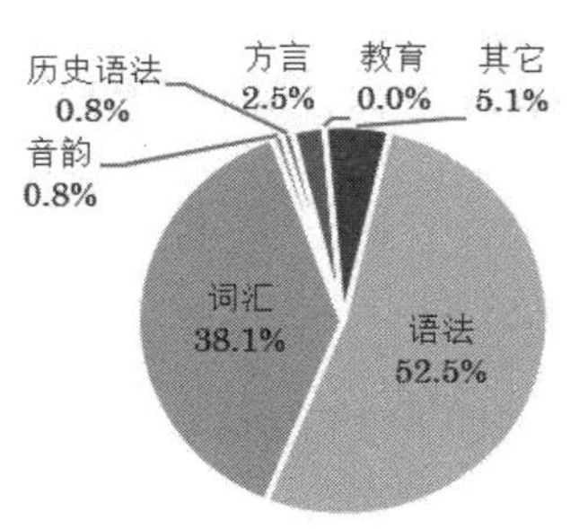

图10　不同研究领域比例（2012-2019）

1.4 《日中言语对照研究论集》

1.4.1 基础资料

出版和编辑：日中对照言语学会

出版起始日期：1999年

出版频率：每年出版1次

每期收录论文篇数：　5～14篇、平均约11篇

文本语言：日文、中文均可（用中文写作需要得到编辑委员会的批准）

1.4.2 作者比例情况

《日中言语对照研究论集》作者的研究基地不是在日本就是在中国（图 11），中国研究者的投稿相对较多（1.4.3 图 13）。研究生（包括预科生）的比例也比较高，约占总数的 25%，其中日本研究生 10 人(约占 16%)，中国研究生 52 人(约占 84%)，只有 3 名中国研究生在发表论文时主要在中国进行研究。可见，在日留学的中国研究生的投稿明显较多。

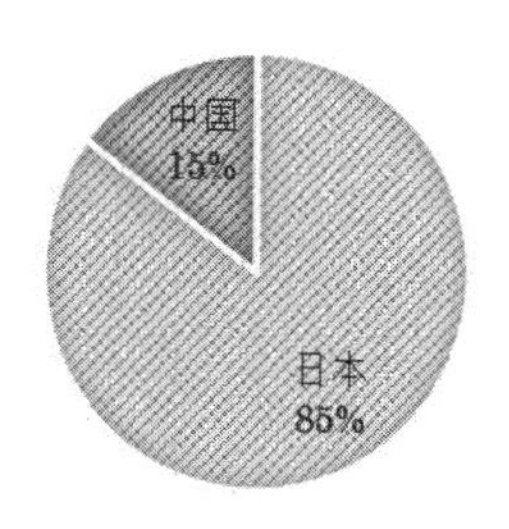

图 11 研究基地占比

1.4.3 研究领域比例

研究领域主要是句法和词法，其它方面的文章很少（图 12）。“其它”包括翻译、词典和与话语相关的项目。图 13 显示日本研究人员和中国研究人员所考察的语言（日语、汉语、汉日对比）的占比情况。虽然该刊以汉日对比为主，但只有一半左右的文章是关于汉日对比的，另一半是运用汉日对比研究的思路考察日语或汉语的，其中以汉语为主要考察对象的尤其多，约占总数的 39%。

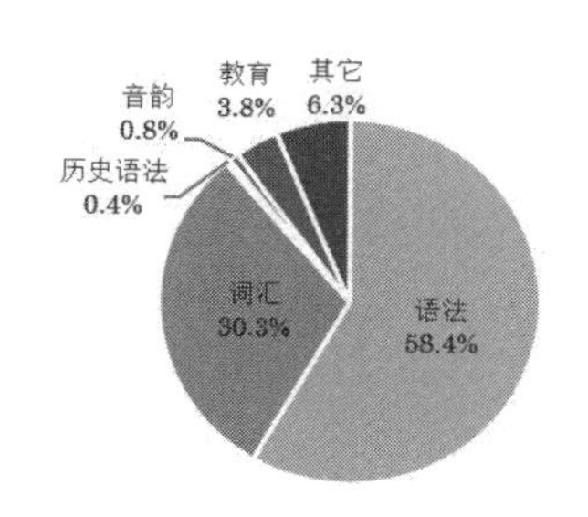

图 12 不同研究领域比例

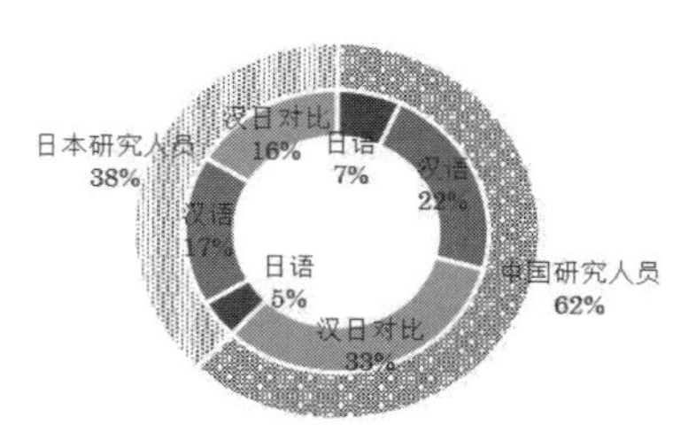

图 13 中日作者所考察语言占比

本章将从上述 4 份学术期刊中剔除 2 份，即《中国语文法研究》（写作语言仅限于中文）和《日中言语对照研究论集》（以汉日对比为主题），根据其余两份学刊《中国语学》、《现代中国语研究》上发表的论文，按年代概述日本汉语语法研究的发展趋势。以下标有【奖励奖】的论文为获得日本中国语学会奖励奖的著作。在注明刊名时缩写如下：〈X〉=《现代中国语研究》、〈Z〉=《中国语学》。

1950、60年代，关于个别语言现象的文章很少，可以说，在这一段时期研究者的关注主要集中在寻找汉语言学领域的术语及其定义和研究方法上。如“两千年来一直没有出现语法术语，因此可以说中国古典典籍中没有语法理论”（「二千年来、文法用語がなかったという事実により中国古典の伝注疏には文法論はないと概論できる」（高橋君平 1969「中国文法の用語」〈Z〉193））、“中外语法理论的通病是对术语没有做出明确的规定”（「中外文法論の通弊は用語を明確に規定しないことである」（高橋君平 1970「はめこみ構造とは何か」〈Z〉200）」）等指出所示，以往汉学(Sinology)、文学研究往往以训诂学为中心，当时的学者尽量避免挪用这些领域中的术语和理论，试图推动语言研究成为一个独立的领域。

从60年代后期开始，用生成语法的理论考察的著作相继出现，如：橋本萬太郎 1967「中国語の深層構造と表層構造の問題」〈Z〉171、劉文献 1968「修飾関係における『的』」〈Z〉183、高橋君平 1969「文法の原理」〈Z〉187、高橋君平 1969「『素表現』——生成文法構成のポイント」〈Z〉188、藤堂明保 1969「生成文法論　その変換ルールについて」〈Z〉191、山岸共 1970「はめこみ構造に関する小論」〈Z〉197、望月八十吉 1970「『不』と『不是』」〈Z〉201、山岸共 1970「受身構文の深層構造」〈Z〉205、望月八十吉 1977「中国語の動詞繰り上げ」〈Z〉224、望月圭子 1987「“GB”理論と中国語」〈Z〉234、望月圭子 1990「動補動詞の形成」〈Z〉237，等等。另一方面，随着生成语法中的新术语被越来越多地引入汉语语法学界，有一些人对其有效性提出了质疑，认为应该先明确一点的是，生成语法在哪些方面比传统方法论更先进（高橋君平 1971「「変形文法」を疑う」〈Z〉208）。

在 70 年代，关注汉语特有问题的研究开始增多。其中，与补语、存现句、被动句有关的，以及考察动词、形容词的语义特征的，比较常见。

80年代，《中国语学》上刊登6篇文章，专门就“了”进行了研究（荒川清秀 1981「“了”のいる時といらぬ時」〈Z〉228、大石敏之 1982「“了”と「文終止」について」〈Z〉229、植田均 1984「「特殊」な“了”について」〈Z〉231、郭春貴 1986「関于“了 1”的問題」〈Z〉233、郭春貴 1988「試論動態助詞“過 1”与“了 1”」〈Z〉235、三宅登之 1989「“V 的”と“了”——“的”構造における“了”の生起に関して」〈Z〉236）。

90年代出现运用生成语义学和认知语言学理论的研究，如：中川裕三 1992「CR 他動詞文について 認知言語学の視点から」〈Z〉239、三宅登之 1994「兼語式のプロトタイプ」〈Z〉241、中川裕三 1994「副詞と反復疑問文との共起について」〈Z〉241、秋山淳 1998「語彙概念構造と動詞複合動詞」〈Z〉245、山口直人 1999「“V 在+L”構文の他動性について」〈Z〉246，等。当时，认知语言学研究取得了很大的进展，结合其研究成果的讨论陆续出现，这个趋势持续到 2000 年代及以后，主要成果为：杉村博文 2003「択一対応と周辺対応および偏向指示」〈Z〉250、勝川裕子 2003「“領主属宾句”における領属の認知的解釈」〈Z〉250、安井二美子 2003「“是（一）个 N”の認知言語学的アプローチ」〈Z〉250、井出克子 2005「量詞と形容詞の共起関係について——描写対象の認知体系に着目して」〈Z〉252【奖励奖】、楊凱栄 2006「助数詞重ね型構文の認知言語学的考察」〈Z〉253、前田真砂美 2007「副詞“还”の認知的意味分析」〈Z〉254、島津幸子 2009「“在 A 时候”における“在”：グラウンディング機能を担う一形式」〈Z〉256、李菲 2010「結果補語“着 Zhao”の意味拡張：「接触」から「獲得」「被害」へ」〈Z〉257、黄琬婷 2012「“吧”と「だろう」の認識確認機能：発話状況と共有認識との関連」〈Z〉259、古川裕 2013「日本語と中国語における〈流動〉及び〈流動物〉の認知特徴と言語表現」〈X〉第 15 期、中田聡美 2018「“V 了+有+数量構造”に関する認知的考察—“V 了+数量構造”との比較を通して」〈X〉第 20 期、呉蘭 2019「中国語の話題構造について——メンタル・スペース理論による考察——」〈Z〉266，等等。2011 年在《中国语学》上开辟卷首特辑，专门讨论认知语言学（见 3. 10）。

语用学观点的融入在 80 年代开始，从 2000 年到 2010 年，以语用学的问题意识为出发点的文章逐渐增多，如：西香織 2006「中国語における（倒置）指定コピュラ文の考察」〈Z〉253、渡辺昭太 2009「日本語と中国語の経験を表す表現の対照研究」〈Z〉256、章天明 2010「从反预期到篇章关联：语气副词“其实”的语义特征和语用功能分析」〈Z〉257、上田裕 2012「発見表現が成立するための語用論的条件」〈Z〉259、劉驫 2014「“那”的非典型语用功能」〈Z〉261【奖励奖】，等。近年来，将某类概念或事件用汉语表达时，应该选择什么样的形式和词汇，越来越受关注，主要著作有：考察请求表达方式的若生久美子・神田富美子 2000「中国語における依頼表現の丁寧度」〈Z〉247、研讨示证性(evidentiality)的李佳樑 2012「从内在状态在状语中的表达看汉语的示证性」〈X〉第 14 期、专门讨论“指称”的木村英樹 2014「“指称”の機能：概念、実体および有標化の観点から」〈Z〉261，等。

另外，有关历史语法的，上古、中古、近世，各种时代的文章不断地被发表。直到 1990 年代左右，该领域的研究主要是描述性的，即针对单一传世文献上的语法现象进行

全面调研，以及对某些用法的形成和发展过程进行考察的。近年来，运用理论方法的研究在逐渐增加，如：大西克也 1992「殷周時代の 1 人称代名詞の用法をめぐって——殷周漢語研究の問題点」〈Z〉239、戸内俊介 2007「殷代漢語の時間介詞“于”の文法化プロセスに関する一考察——未来時指向を手がかりに」〈Z〉254【奖励奖】、戸内俊介 2011「上古中国語における非現実モダリティマーカーの“其”」〈Z〉258、大西克也 2014「“指称”の範疇化と「存在」の問題をめぐる考察：歴史文法の観点から」〈Z〉261、松江崇 2014「唐五代における不定名詞目的語の数量表現による有標化：敦煌変文を主資料として」〈Z〉261、宮島和也 2015「戦国楚・秦における前置詞「于」「於」をめぐって」〈Z〉262【奖励奖】、劉驫 2017「浅析《三言二拍》部分作品中的对称词：从历史语用学的角度出发」〈Z〉264、市原靖久 2018「上古中国語の一人称代名詞“我”と“吾”について」〈Z〉265【奖励奖】，等。

三、按主题划分分析研究趋势

本章将以一些在日本汉语语法学界中引起相对较高关注的主题为例，对日本语法研究的发展趋势进行概述。日本学者的研究题目多种多样，无论从哪个方面切入，分类上都难免会出现随意性，以下分类只是为了方便起见。

3.1 体(aspect)

有关体(aspect)的论文出现在 1940 年代后期，其内容是对“体(aspect)”一词的定义以及在汉语语法中如何定位这一问题的提出。比如，工藤 1949[4]指出，汉语语法学者混淆了动词内在性质的 Aktionsart(所谓的词汇体)和 Aspect，并认为，如果说 Aktionsart 是客观的，那么 Aspect 就是比较主观的。关于体貌的体现，沈力 2006[5]从可逆性（reversibility)的角度，根据[±出现]和[±消失]两个事件特征，将基本事件分为四类，提出了“了、着、过”作为体貌标记的功能。町田 2015[6]分别验证名词、性质形容词和动作动词中的［+reality］化手段，并认为时态和体貌可以定位在［+reality］化手段的系统里面。史有为 2016[7]提出汉语体貌的主体性要素有四种：观察性、体验性、评价性、模仿性。

4) 工藤篁 1949「再論 ASPECT」〈Z〉30
5) 沈力 2006「汉语的基本事象与体貌标记」〈X〉第 8 期
6) 町田茂 2015「试论基于[+Reality]特征的现代汉语语法框架」〈X〉第 17 期
7) 史有为 2016「汉语“体”的主体性」〈X〉第 18 期

1950年代开始讨论有关体貌的个别词语，其中关于“了”，荒川1981[8]则指出：从外语教学的角度来看，我们需要明确什么时候需要“了”，什么时候不需要“了”，并说明：如果上下文带有“对比性”、“动词所表行为是惯常性动作”或“该句子上下有别的句子表示过去时”，就不必用“了”。从完句的角度进行考察的也较多，比如，大石1982[9]以光杆名词的简单形式作宾语且可以完句的情况为例，指出句末“了”表示说话人的心理态度，常用于对话中；如果不表达心理态度，可以只用体貌助词“了”来完句，这种句子多用于叙述句中，“了”的要与不要，不是从单一的句子而是要从更大的范围来判断。原1994[10]分析：决定“V了O”结构中量词位置的因素，不仅有宾语是有定还是无定、是旧信息还是新信息，还有动词的性质（有无持续性）、动词与宾语的语义关系。另外，考察“了”的语法功能的文章有劉一之1995[11]等。还有试图厘清所谓“了$_1$”与“了$_2$”之间的关联的，如：张黎1997[12]通过对“谓了C”和“谓C了”（“谓”为动词或形容词）内部结构的重新分类，试图明确两者的表达功能。呼美蘭1999[13]从与时间动词、副词的共现情况出发，考察小说里的“VO了”和“V了O”。有关“了”的汉日对比研究成果也很多，如，井上・黄麗華2000[14]、王占華・有働2003[15]等。毛兴华2013[16]揭示了汉日“结果取消测试”的可接受性差异，不是因为动词所具有的体貌特征，而起因于“了”和「た」的语法作用力上的差异。

近年来，更多的研究者以带有“了”的整个句式为单位进行考察，试图合理地解释，与不带有“了”的其他形式在语义上、功能上有何差异。比如，長谷川2015[17]认为：重叠形式一般都是描述情况的，“A了B”的重叠形式“A了BB了A”也是一种描述情况的表达方式。町田2019[18]解释说明了数量表达和体貌标记的基本义与[直接性]、[临场

---

8) 荒川清秀1981「“了”のいる時といらぬ時」〈Z〉228
9) 大石敏之1982「“了”と「文終止」について」〈Z〉229
10) 原由起子1994「“V了O動量”と“V了O.”」〈Z〉241
11) 劉一之1995「“了”的語法意義」〈Z〉242
12) 张黎1997「“謂了C”和“謂C了”」〈Z〉244
13) 呼美蘭1999「小説における“V了O”と“VO了”の一考察」〈Z〉246
14) 井上優・黄麗華2000「否定から見た日本語と中国語のアスペクト」〈X〉第1期
15) 王占華・有働彰子2003「“了”の使用における語用論的解釈——「−た」との対照の視点から」〈X〉第5期
16) 毛兴华2013「汉语动态类及物动词动貌的复杂性」〈X〉第15期
17) 長谷川賢2015「“A了BB了A”の意味と文法機能」〈Z〉262
18) 町田茂2019「现代汉语中［直接性］［临场性］［现实性］特征与语法规则的相互作用」〈X〉第21期

性]、[现实性]等特征相互作用而产生的多义、多功能现象，认为这样分析有助于解释近义词之间的差异。

除了“了”之外，朱継征 2004[19]讨论“开始～”和“～起来”作为起动相表达形式的语义差异，尹美蓮2015[20]讨论“V 起来 A”和“V 着 A”的语义差异。至于助词“过”，渡辺 2017[21]表明，“经历”是作为行为和体验的结果的“已体会到的事项”的总体，并对“V 过”的语用功能进行验证。

3.2 情态(modality)

关于情态(modality)，很多学者试图就承载情态义的形式来明确它是什么样的情态，由什么派生出来的，比如，玄宜青 1992[22]尝试对负责情态义的副词性成分进行分类，玄宜青 1994[23]根据接近“作用”情态语气的程度，对表示必然判断的词，如“得”、“应该”、“当然”等进行考察。盧濤 1995[24]指出，句末的“去”在句法上就像一个情态标记，具有“对人功能”(与听话人产生一定关联的功能)。張勤 1996[25]将言语行为分为“思考”和“执行”两类，解释出言语行为动词与情态表达的区别。楊凱栄 1998[26]论述了用于感叹句中的“好+数量词”中“好”所具有的情态义。Lamarre2000[27]认为“性质形容词+不了”所表达的可能义是“判断式情态（epistemic modality)”，这种形式是由补语“了”的虚化造成的，Lamarre2005[28]通过对惯常标记“要”、“会”、“爱”的考察，验证了汉语将惯常性（habitual）划分到情态范畴里，并将其归类于非现实(irrealis)的范畴。趙葵欣 2016[29]认为，用“要”来表达惯常时，其典型形式是“每 / 到类时间词+要”，这样的“要”已经超越情态域，是一种后情态用法（post modal use)。池田 2019[30]论述“A 就 A 在 X”，

---

19) 朱継征 2004「中国語の起動相について――“開始～”と“～起来”の文法的使い分けと意味的分析を中心に」〈Z〉251
20) 尹美蓮 2015「“V 起来 A”、“V 着 A”の意味と使い分けについて」〈X〉第 17 期
21) 渡辺昭太 2017「経験認識と動詞接尾辞“V 过”の機能―日本語との対照も兼ねて―」〈X〉第 19 期
22) 玄宜青 1992「現代中国語におけるモダリティを担う副詞的成分」〈Z〉239
23) 玄宜青 1994「現代語の当為性判断をあらわす諸形式の意味タイプ」〈Z〉241
24) 盧濤 1995「文末の「去」の機能について」〈Z〉242
25) 張勤 1996「現代中国語の明示的言語行為について」〈Z〉243
26) 楊凱栄 1998「「“好”＋数量詞」の意味機能」〈Z〉245
27) Christine Lamarre 2000「论表示说话者的主观判断的[V 不了]格式及其语法化过程」〈X〉第 1 期
28) Christine Lamarre 2005「汉语里标注惯常动作的形式」〈X〉第 7 期
29) 趙葵欣 2016「“要”类惯常表达及其来源」〈X〉第 18 期
30) 池田晋 2019「“A 就 A 在 X ”的焦点特征」〈X〉第 21 期

并指出：在这个结构中，“卓立焦点（superlative focus）”在X上，而且这是“就”所发挥的限定功能和同语重复(tautology)带来的。王亚新·刘素英2019[31]从对某命题的情态表达的观点出发考察了“怎么”的语义分化为方式和原因的动因。

3.3 态(voice)

关于态，被动句被受关注，尤其是被动句成立的条件，以及是否使用“被”等有标形式的，较为多。比如，豊嶋1988[32]指出，当被动句摆脱“非情愿、麻烦”等语义限制还能成立时，其谓语条件为：通过加上结果补语、情态补语、助词“了”、“着”，或者动词本身就具有与其同等的含义，使整个表述可以表达该动作行为的受事者的结果状态。SHEN·MOCHIZUKI 2000[33]、2001[34]展示了“让”可以被理解为被动的各项条件，并用生成语法中“空运符移动”的概念来解释这些条件。石村2011[35]指出，无标记被动句在汉语中占有重要地位，而有标记被动句是谓语复杂化和介词的发达所带来的。古賀2014[36]深入研究常被用来解释被动句的“视角（从哪里观察有一事件）”这一观点，并厘清，在态的选择上汉语更重视“注视点（观察事件的某一部分）”。路浩宇2016[37]分析以无定名词短语作主语的被动句以及使它能够成立的语境，指出该句与前文所述事象之间存在一个“整体–部分”的关系。石村2000[38]从态的转换的角度出发考察表示结果的动补结构。

至于致使句与被动句的关联，佐々木1996[39]主张“被”字句和“把”字句中的“给”是一个表示抽象性方向的成分，因此，将“给”用于这些句式中可以增高“对对象的影响”。佐々木·樊晓萍2018[40]还指出，绍兴话中的被动标记经历了“赋予—使役—被动”

31） 王亚新・刘素英2019 「“怎么”的命题情态与语义分化」〈X〉第21期
32） 豊嶋裕子1988「“被”字句の成立条件にかんして」〈Z〉235
33） SHEN Ya-Ming・MOCHIZUKI Keiko 2000「When Causatives Mean Passive in Mandarin Chinese(1)」〈X〉第1期
34） SHEN Ya-Min・MOCHIZUKI Keiko 2001「When Causatives Mean Passive in Mandarin Chinese(2)」〈X〉第2期
35） 石村广2011「试论汉语被动语态的成立问题」〈X〉第13期
36） 古賀悠太郎2014「日中両言語におけるヴォイスの選択と視点」〈X〉第16期
37） 路浩宇2016「不定名詞句が主語となる受身文に関する一考察――新聞記事に見られるケース」〈X〉第18期
38） 石村広2000「中国語結果構文の意味構造とヴォイス」〈Z〉247
39） 佐々木勲人1996「“被……给”と“把……给”—強調の“给”再考」〈Z〉243
40） 佐々木勲人・樊晓萍2018「绍兴话的处置句和被动句」〈Z〉第20期

这一语法化过程。句法理论，木村 2000[41]以表示使役、被动的有标记语态句式为研究对象，考察了意义和形式的对立关系和连续关系，并论述了汉语中态现象的范畴化与结构化。

小嶋 2010[42]考察了祈使句中非必要成分的“给我”，并分析出“给我”从受益句式扩张到祈使句的过程。

3.4 补语

有关动词后的动词和形容词的研究在 1950 年代开始，但直到 1960 年代左右，有些学者却对建立补语这一语法范畴表示了否定的观点。比如，山岸 1961[43]表示结果补语、趋向补语、可能补语、数量补语等“所谓‘补语’”作为句子成分自成一类，是不合理的，并主张，“动词+动词”和“动词+形容词/介词”的形式构成不同性质的动词性单位，这是一种不能用构词、构形来解释的特征性现象，而这一特征应该被视为动词的特征。

至于结果补语，今井 1985[44]根据动词与宾语的关系将其分为“直接动补”和“间接动补”，并分析了当动补句分解为两个组成句子时其共同成分如何。岩崎 1990[45]说明了形容词充当结果补语时出现的“过分义”，是由于将动作发出后出现的状态与预期出现的状态进行对比而引起的。望月 1990[46]用 GB 理论验证了，结果补语指向主语、宾语的动补动词(即由“动词+结果补语”所组成的复合动词)被形成是句法性现象。山口 1991[47]在望月 1990 的基础上，从致使化和及物化的相似性出发，研究了“及物动词+不及物动词/形容词”或“不及物动词+不及物动词/形容词”的整体具有及物性的原因。三宅 1991[48]验证了在结果补语出现在“的”字结构的句子里，“了”则不能省略，除非结果补语所表达的是作为 V 的结果可以很自然地预测到的状态。町田 1991[49]显示了动词重复构式“VOVR”中的“R”是一个偶然的结果，它的发生与施事的意图无关。中川 1992[50]显

41） 木村英樹 2000「中国語ヴォイスの構造化とカテゴリ化」〈Z〉247
42） 小嶋美由紀 2010「受益構文[N1 给 N2＋VP]から使役構文[你给我 VP]への拡張」〈X〉第 12 期
43） 山岸共 1961「補語について」〈Z〉106
44） 今井敬子 1985「「結果を表わす動補構造」の統辞法」〈Z〉232
45） 岩崎皇 1990「「動補」文における比較の二類型」〈Z〉237
46） 望月圭子 1990「動補動詞の形成」〈Z〉237
47） 山口直人 1991「動補動詞の類型と形成について」〈Z〉238
48） 三宅登之 1991「動補構造と“了”の省略」〈Z〉238
49） 町田茂 1991「「動詞-賓語-動詞-結果補語」式の文法的意味―処置の“把”と非処置の V」〈Z〉238
50） 中川裕三 1992「CR 他動詞文について 認知言語学の視点から」〈Z〉239

示了，“主语+把+宾语+CR+了”（CR 为表达原因及其结果的动补动词，中川先生没有把它叫做补语）的主语，无论它是受事主语、施事主语，还是句子的主语，都是表达结果的原因。楊明 2010[51]指出，用非能格动词构建动补结构，第一个动词相连的百科全书性框架背景知识对其成立起着一定作用。石村 2013[52]说明〈不及物型〉结果补语句是一种“反身性致使结构（reflexive causative structure）”，具有“无形的致使意义”。另一方面，张晨迪 2019[53]对将“得”字结果补语如“哭得手帕都湿了”视为“致使结构”的观点提出反对，并验证了将其作为程度结构分析的有效性。另外，还有很多有关个别结果补语的研究，如：鲁晓琨 1996[54]考察“V 完”和“V 好”之间的差别，関 2001[55]主张“V 给”句的认知凸显在该动作的受益者上。李菲 2010[56] 讨论了从“着 zhao”的基本语义“接触”到“获取”和“损害”的语义扩张。

关于趋向补语，高橋 1969[57]、高橋 1971[58]主张：虽然洪心衡（本文笔者注：洪心衡 1957《能愿动词・趋向动词・判断词》，新知识出版社）根据一个谓语就是一个“用言”（即动词或形容词）的原则，将“来/去”定义为“趋向动词”，但其实“来/去”是“趋向助词”，而“跑过来”是联合动词“跑过”和趋向助词“来”的组合。Lamarre2003[59]根据 Talmy 的理论分析了汉语的“述趋式”。石村 2000[60]、石村 2003[61]认为，从结构上与结果补语的整合性角度来看，表使动义的“动词+复合趋向补语（VDd）”结构中，中心是 D，而不是 V，并将 VD 视为复合动词。荒川 2005[62]指出，“买回来”的“回来”指向受事的趋向，但同时与施事有关，并结合将“买回来”翻成日语时其解释上会发生歧义这一点进行考察。島村 2007[63]认为“双音节动词+回来”是一种多义形式，它有三种模式：双音动词解释为状态、双音动词解释为事件、双音动词可以解释为这两种，并表示了事件

51） 楊明 2010「非能格動詞による動補構造に関する構文文法的な考察—パートニミーとトポニミーによる意味拡張」〈X〉第 12 期
52） 石村广 2013「直接宾语限制条件和汉语结果句式」〈X〉第 15 期
53） 张晨迪 2019「两类“得”结果补语句及其句法启示」〈Z〉第 21 期
54） 鲁晓琨 1996「“V 完”和“V 好”」〈Z〉243
55） 関光世 2001「“V 给”文の意味特徴に関する考察」〈Z〉248【奖励奖】
56） 李菲 2010「結果補語“着 zhao”の意味拡張：「接触」から「獲得」「被害」へ」〈Z〉257
57） 高橋君平 1969「趨向動詞を解消し連合動詞を設ける」〈Z〉195
58） 高橋君平 1971「一述語は一用言」〈Z〉206
59） Christine Lamarre2003「汉语空间位移事件的语言表达—兼论述趋式的几个问题」〈X〉第 5 期
60） 石村広 2000「中国語結果構文の意味構造とヴォイス」〈Z〉247
61） 石村广 2003「表示使动义的趋向性复合动词」〈X〉第 5 期
62） 荒川清秀 2005「“买回来”と“寄回来”——中国語における他動詞＋方向補語の構造——」〈Z〉252
63） 島村典子 2007「「二音節動詞+“回来”」の表す統語構造と意味関係について」〈Z〉254

解释是由双音动词所具有的“指称性(designation)”产生的。中根 2008[64]根据“Vx”(x为：上、下、进、出、回、过）与“V到”的宾语的句法行为的差异，将“V到”的宾语定义为〈到达地点〉，将“Vx”的宾语定义为〈参照领域〉，并认为趋向动词是粘着形式，其虚词性较高。杉村 2011[65]在中根 2008 的基础上，提出了趋向补语所表示的“趋向”是“连接两个对立空间的转移”这一观点。至于所谓的趋向补语的派生义，原・常次2010[66]通过“V起来”与“开始V”的对比进行考察，尹美蓮 2015[67]通过“V起来A”与“V着A”的对比进行考察。

关于情态补语(状态补语)，杉村 1976[68]认为：情态补语句〈SVOVdeCP〉在去掉了第一个V后能成为〈OVdeCP〉这一现象意味着整个〈OVdeCP〉所表达的是S的属性，而情态补语句并不表示个别的、具体的一个动作。加藤 1990[69]将情态补语的句型分为4类：动词重复句型、“把”字句、“被”字句、主谓形式，并指出一般被视为最基本句型的动词重复句型，其实这个句型是冗余的，很少使用。史彤岚 2001[70]表明，在V为原因、C为结果的“V得C”中，C具有“程度高”、“动量多”的语义特征，因此，不表结果或情态的光杆动词和动词重叠形式不能放在C中。

关于可能补语，将在 3.5 讨论。

3.5 可能表达

关于可能表达，讨论用可能补语时和用助动词时两者之间的差异的，尤其是讨论在否定句中“V不R”和“不能VR”之间的差异的，较为常见。小野 1991[71]认为两者否定的层次完全不同，后者(“不能 VR”）不是纯粹表示不可能的形式，而是先假设“能VR”这一事项，然后对其进行否定(“不+能VR”)。鲁晓琨 1993[72]也认为“V不R”和“不能VR”是其否定作用点不同的两个格式，鲁晓琨 2014[73]考察了表示“非认识情态”

64) 中根綾子 2008「移動事態を表すVx句とV到句の意味と形式」〈Z〉255
65) 杉村博文 2011「対立空間転位の諸相——「方向補語」再考——」〈X〉第13期
66) 原由起子・常次莉恵 2010「V起来、開始Vと～だす、～始める」〈X〉第12期
67) 尹美蓮 2015「“V起来A”、“V着A”の意味と使い分けについて」〈X〉第17期
68) 杉村博文 1976「〈他課文念得很熟〉について」〈Z〉223
69) 加藤晴子 1990「“V得+状態補語”の“V”の受事“N2”」〈Z〉237
70) 史彤岚 2001「「V得C」構文における“得”の文法機能」〈Z〉248
71) 小野秀樹 1991「中国語における可能表現の“否定”」〈Z〉238
72) 鲁晓琨 1993「「不能VR」と「V不R」」〈Z〉240
73) 鲁晓琨 2014「“V得/不了”与“能/不能VP”」〈X〉第16期

的“V得/不了”和“能/不能VP”之间的关联。另外，原・常次2006[74]基于小野1991的分析，验证了“V得C”具有的实现程度的语义特征比“能VC”更明显。张素娟2017[75]说明了“不能VR”和“V不了”得出“该动作无法实现”这一结论的过程不同。福田2013[76]指出：〈知觉动词-不了〉是一个注重主体的推动作用的形式，〈知觉动词-不得〉则看重“宽容、接受”方面，因此带有“在心理上很难做到”的含义。安本2006[77]从动词的自主性及其补语部分的评价性角度考察了结果补语转换为可能补语的充分条件。

对于用助动词的可能表达，张素娟2018[78]从有无外在因素的视角分析了“能”和“会”的差异。

3.6 副词

副词的研究，关于程度副词、语气副词的研究相对较多，对定义各个词语的语义及其用法被受研究者关注。试图从其实词语义的角度探讨各个副词的语义、用法的本质的研究，在1960年代开始出现（藤堂1962[79]），对多义副词进行核心意义的定义的，有：考察“还”、“更”的前田2007[80]、前田2010[81]，研究“才”的基本意义的河野2002[82]、井田2003[83]等。森中1999[84]指出了“挺”具有消极性主观情态意。通过与用法相近的词语进行对比而分析该副词语义的，有：原1985[85]（“可、倒、却”）、森中1998[86]（“倒”与“却”）、宇都2006[87]（“就是”与“只是”）、徐雨棻2012[88]（“刚好”与“恰好”）等。此外，还有一些研究对程度副词与数量结构的共现进行了研究，如，时卫国2001[89]、原1990[90]（“最”

74）原由起子・常次莉恵2006「“能背得动”、“背得动”、“能背动”の違いについて」〈X〉第8期
75）张素娟2017「“不能V”と“V不了”の相違について——主体能力と外的条件を表す場合を中心に」〈X〉第19期
76）福田翔2013「心理的不許容を表す可能補語形式〈知覚動詞-不得〉」〈Z〉260
77）安本真弓2006「結果補語の可能補語への変換条件」〈X〉第8期
78）张素娟2018「“能”と“会”に見られる話し手の認識の相違について」〈X〉第20期
79）藤堂明保1962「副詞の基本意味について」〈Z〉117
80）前田真砂美2007「副詞“还”の認知的意味分析」〈Z〉254
81）前田真砂美2010「副詞“更”の意味：〈さらに〉の含意をめぐって」〈Z〉257
82）河野直恵2002「“才”と“了”の共起関係について」〈Z〉249
83）井田みずほ2003「副詞“才”の取り立て機能について」〈Z〉250
84）森中野枝1999「中国語の程度副詞“挺”」〈Z〉246
85）原由起子1985「語気副詞〈可〉と〈并〉〈倒〉〈却〉」〈Z〉232
86）森中野枝1998「中国語の副詞“倒”について」〈Z〉245
87）宇都健夫2006「“就是”と“只是”補足注釈機能について」253【奖励奖】
88）徐雨棻2012「“刚好”和“恰好”用法辨析」〈Z〉259
89）时卫国2001「程度副词与量性成份的共现关系」〈X〉第3期

与数量词共现）、楊凱栄 1998[91]（“好” 与数量词共现）等。野田 2013[92]根据神尾 1990 提出的“信息领属理论［情報の縄張り理論］”（本文笔者注：神尾昭雄 1990『情報の縄張り理論』大修馆书店），将绝对程度副词分为四类：客观型、次主观型、主观型、交互主观型。

至于语气副词，章天明 2009[93]提到了，表或然的“也许”和表必然的“一定”，在其来源上有一个共同的语义结构，即“推断”。王牧 2016[94]根据“示证性（evidentiality）”的观点考察了或然语气副词。

还有一些研究关注包括副词在内的整个句子，并试图确定其功能，如，中川 2001[95]根据形容词的类型将状语结构“很+形容词+地”分为三类，并讨论了每一类的描写状况如何，橋本 2017[96]根据句子类型，即事件表述或话题表述，对副词“都”进行了考察。

3.7 存现句、现象句

高倉 1948[97]列举了几个主语不表主体，与谓语联系不紧密的例子，将存现句定为其中之一，并提出了一个见解："那个孩子死了妈了"是对"那个孩子"进行描述的，"那个孩子"不是句子中的主体，而它与谓语的关系是被动性的。内田 1949[98]承认"下雨了"是一个"无主语句"，并指出，就像"信来了"中的"信"已经存在，或已经存在于意识中一样，"下雨了"和"雨住了"虽然都是自然现象，但是语序却不同，其原因在于该事物是否已经存在。藤堂 1968[99]指出，存现句中表示存在的句子，在其句子中的"V着"可以用"有"来代替，使用"V着"则可以具体地表述其存在方式，并指出，不使用"有"的存在句和表示"出现、消失"义的句子都带有"发现的语气"。高橋 1970[100]、

90） 原由起子 1990「“最”と数量詞の位置について」〈Z〉237
91） 楊凱栄 1998「「“好”+数量詞」の意味機能」〈Z〉245
92） 野田宽达 2013「现代汉语程度副词的功能分析及其分类」〈X〉第 15 期
93） 章天明 2009「语气副词的主观量级和语用预设——以“也许”和“一定”为例」〈X〉第 11 期
94） 王牧 2016「现代汉语或然语气副词的示证性角度考察ー以“大概、恐怕、好像”等为对象ー」〈X〉第 18 期
95） 中川洋子 2001「現代中国語の連用修飾構造“很+形容词+地”についての考察」〈X〉第 2 期
96） 橋本永貢子 2017「副詞“都”と文の叙述タイプ」〈X〉第 19 期
97） 高倉克己 1948「主語述語の関係」〈Z〉18
98） 内田道夫 1949「動詞句の特殊形式について」〈Z〉28
99） 藤堂明保 1968「存現文の本質とその解釈」〈Z〉180
100） 高橋君平 1970「‘存現文’を廃し，‘処動構造’を立てる」〈Z〉201

高橋 1982[101]认为主语应该根据其句法位置来确定，而不是根据其意义来确定，并对黎锦熙、王力的"倒装说"和黎锦熙在《国语文法》(1955 年 12 月版) 中将"下雨了"中"雨"视为"变式的主语"这一看法提出反对意见，因为"下雨"这个语序是正常的，所以根本没有"倒装"，也不可能是"变式"。勝川 2003[102]注视，表存在的表现和表领属的表现都以共同的词汇或类似表现形式来实现，这是一个跨语言的普遍现象，指出了现象句与"领住属宾句"之间存在着平行关系。李梦迪 2012[103]从主题性和空间性的角度考察了现象句中的处所成分能否加"在"这一问题。

3.8 量词

关于量词，大河内 1985[104]从一个不同于"计量"、"类别"等传统观点的角度对量词的功能进行考察，提出了"个体化功能说"。英语不定冠词和"一个"有类似点，都表示"不定"，这一点早有学者指出，大河内 1985 更深入地考虑这个问题，认为：要表示"不定"，其对象必须是个体，而汉语名词通常是类名、总称，量词的功能是将这些名词由类名、总称变为具体世界的实体。

与量词典型用法不同的用法也受关注，比如，井出 2005[105]以视觉描写为中心讨论了量词和形容词的共现形式如"一片漆黑"，加納 2008[106]专注像"一桌子土"等计量临时量词所具有的"空间性"，明确了整个句式的表达功能。另外，不仅是量词本身，量词与句式的关系也会是研究者的问题意识所在，比如，讨论双宾语句中数量词的功能的，有今井 2003[107]、加納 2016[108]等。

3.9 动词、名词、形容词、代词

关于动词，较为常见的研究方法是，在"动作动词"、"传达动词"、"静态动词"、"知觉、思维动词"等框架内分析各类动词的特点，除此之外，还有很多人关注动词一

---

101) 高橋君平 1982「処動構造と無主句」〈Z〉229
102) 勝川裕子 2003「"領主属宾句"における領属の認知的解釈」〈Z〉250
103) 李梦迪 2012「汉语现象句中的"在+处所成分"〈X〉第 14 期
104) 大河内康憲 1985「量詞の個体化機能」〈Z〉232
105) 井出克子 2005「量詞と形容詞の共起関係について——描写対象の認知体系に着目して」〈Z〉252【奖励奖】
106) 加納希美 2008「計量臨時量詞の構文機能」〈Z〉255
107) 今井俊彦 2003「中国語における数量詞の意味と機能」〈Z〉250
108) 加納希美 2016「拡張二重目的語構文の成立条件：臨時量詞による結果描写との関連を中心に」〈Z〉263【奖励奖】

些用法与动词典型的用法不同。比如，池田 2005[109]从直指（Deixis）的角度考察了“来”的代动词用法，指出“这 / 那”与“来 / 去”之间在结构上和功能上都有平行性。張佩茹 2008[110]对用于复句的后半部分的“探究义‘看’”以及主要后置于动词重叠形式的“尝试义‘看’”，分别考察了其句法上、意义上的特征。

关于名词，其句法行为往往受关注，比如，雷桂林 2008[111]指出汉语中存在大量的以无定名词为主语的句子，并分析了其成立条件，上田 2016[112]对名词独词句的形成条件进行了分析。

关于形容词，除了温度形容词、情感形容词的语义特征分析（大滝 1975[113]、町田 1994[114]等）之外，相原 1976[115]对“很不+形容词”的成立条件进行了探讨。至于形容词可以构成祈使句，荒川 1979[116]讨论了其成立条件，王志英 1999[117]分析出由形容词构成的祈使句为什么要有“一点儿”的原因。另外，也有一些研究将汉语形容词作为 static verb 来对待，因为汉语形容词与动词在功能上有共同之处（内藤 1996[118]）。

至于代词，有关指示代词、第三人称代词的研究相对较多，比如，池田 2006[119]分析出“这”与名词之间有量词时和没有量词时的差异。劉驫 2014[120]考察发现了“这”不具有而“那”所具有的照应用法。关于第三人称代词，有山崎 1993[121]、森 1997[122]、西 2002[123]等研究。

至于介词，1950 年代开始出现一些研究，考虑如何看待它，如何定位于语法范畴。比如，孫伯醇 1954[124]认为介词是动词的弱化形式。香坂 1968[125]指出“给”类及“跟”类

109） 池田晋 2005「“来”の代動詞的用法とダイクシス」〈Z〉252【奨励奖】
110） 張佩茹 2008「《見究めの“看”》と《試みの“看”》」〈Z〉255【奨励奖】
111） 雷桂林 2008「不定名詞主語文の場面描写機能」〈Z〉255【奨励奖】
112） 上田裕 2016「視点の取り方から見た名詞一語文と存在文の成立条件：発見の状況を中心に」〈Z〉263
113） 大滝幸子 1975「中国語の形容詞の意味分析」〈Z〉222
114） 町田茂 1994「感情形容詞の特質」〈Z〉241
115） 相原茂 1976「“很+不・形容詞”の成立する条件」〈Z〉223
116） 荒川清秀 1979「中国語における形容詞の命令文」〈Z〉226
117） 王志英 1999「中国語の「形容詞の命令文」と「一点儿」について」〈Z〉246
118） 内藤正子 1996「形容詞論」〈Z〉243
119） 池田晋 2006「指示詞句の指示機能と指示属性」〈Z〉253
120） 劉驫 2014「“那”的非典型语用功能」〈Z〉261【奨励奖】
121） 山崎直樹 1993「物語における三人称代名詞」〈Z〉240
122） 森宏子 1997「三人称代名詞“它”の意味機能について」〈Z〉244
123） 西香織 2002「無生物主語“它”に関する一考察」〈Z〉249
124） 孫伯醇 1954「中国語の動詞に就いて」〈Z〉29
125） 香坂順一 1968「“跟”“給”の未分化」〈Z〉185

在北方已经过分化，在南方却没有。針谷 1996[126]从句法的观点验证了介词的性质不尽相同。近年来，对个别介词的分析一直成为研究重点，比如，島津 2002[127]讨论了表示时间关系的“等”与“当”在语义特征上的区别。中西 2005[128]考察了“跟”，森 1998[129]考察了“从”，上野 1969[130]、泉 1984[131]、盧涛 1993[132]、平山 2000[133]等分别考察了“给”。

3.10 卷首特辑

近年来，《中国语学》经常在卷首开辟特辑，可以清晰地解读日本汉语言学界所关注的话题。以下将抄录特辑题目、期刊号、论文题目、作者姓名。包括现代语法以外的特辑。方括号里面为日文原题目。

汉语否定［中国語における否定］2005 年 252（2004 年度全国年会专题讨论会的内容）

汉语否定词形态句法类型的方言比较（刘丹青）

吴语汤溪方言的否定词－－兼与若干方言的比较（曹志耘）

否定情報の獲得と応用（杉村博文）

中国語の否定：否定のスコープとフォーカス（田窪行則）

结果补语与非作格句式［結果補語と非対格構文］2006 年 253

Resultatives and unaccusatives: a parametric view（C.-T. James Huang（黄正德））

Unaccusativity and East Asian Languages: Issues and Prospects（WASHIO, Ryuichi（鷲尾龍一））

方言研究带来什么［方言研究がもたらすもの］2007 年 254

汉语方言〈明天〉、〈昨天〉等时间词的语言地理学研究（岩田礼）

約量構式探索－－從方言比較語法入手（連金發）

从趋向范畴的方言表述看“书面汉语中的不同层次”的判定（Christine LAMARRE（柯理斯））

126） 針谷壮一 1996「介詞の下位分類について」〈Z〉243
127） 島津幸子 2002「時間を表すフレーズを構成する前置詞“等”と“当”について」〈Z〉249
128） 中西千香 2005「“跟”の意味拡張について」〈Z〉252
129） 森宏子 1998「“従”の空間認識」〈Z〉245
130） 上野惠司 1969「“給”について」〈Z〉188
131） 泉敏弘 1984「“給” 字的致使、被動用法研究」〈Z〉231
132） 盧涛 1993「「給」の機能語化について」〈Z〉240
133） 平山久雄 2000「「給」の来源」〈Z〉247

书评 曹志耘主编《汉语方言地图集》［書評　曹志耘主编《汉语方言地图集》］2009年256

読「曹志耘主编《汉语方言地图集・语音卷》」，書後（林英津）

曹志耘主编《汉语方言地图集・词汇卷》（太田斎）

曹志耘主编《汉语方言地图集・语法卷》（Christine LAMARRE（柯理斯））

上中古音韵研究的现状和前景［上中古音研究の現在と展望］2010年257

上古音研究と戦国楚簡の形声文字（古屋昭弘）

Old Chinese and Min（Zev HANDEL）

上古音研究における中国“新派”の研究（野原将揮）

出土資料と上古音：上博楚簡『武王践阼』を例に（戸内俊介）

认知语言学与现代汉语语法研究的现状［認知言語学と現代中国語文法研究の現在］2011年258

日中対照言語学における認知言語学的アプローチの回顧と現状（中川正之）

中国語文法研究にみる認知言語学の成果と課題（木村英樹）

談話と認知からみた「理由」：対照分析に向けて（大堀壽夫）

语料库语言学与汉语研究［コーパス言語学と中国語研究］2012年259

電子コーパスを用いた現代中国語文法研究（杉村博文）

关于中国日语语料库的研制与应用研究（徐一平）

北美・中国的语料库语言学与现代汉语研究的现状及展望（陶红印）

“韵律句法学”［“韵律句法学”］　2013年260

漢語的核心重音（冯胜利）

强势层级扩张与词语概念整合的互补效应（吴为善）

从“大批判”与“很大批判”的对立看单双音动词的句法功能（王丽娟）

关于“指称”的范畴化与“存在”问题的研究［“指称”の範疇化と「存在」の問題をめぐる考察］2014年261

“指称”の範疇化と「存在」の問題をめぐる考察：歴史文法の観点から（大西克也）

中国語における指示性範疇化の胎動（大西克也）

唐五代における不定名詞目的語の数量表現による有標化：敦煌変文を主資料として（松江崇）

不定指称としての“一箇”成立前史：『朱子語類』の場合（木津祐子）

西文资料与近代口语研究［西文資料與近代口語研究］2019 年 266

西文資料與近代口語研究——回顧與前瞻（吉川雅之）

西文資料與粵語研究（吉川雅之）

西文資料與客家話研究（Christine LAMARRE（柯理斯））

西文資料與官話研究——兼論官話觀之差異以及南北官話的概念——（千葉謙悟）

西文資料與日語研究（岸本惠實）

四、结语

上述调查结果并不详尽，本文在上面介绍的只是日本庞大科研成果中的一小部分。毋庸讳言，日本的汉语语法研究有一个鲜明的特点，就是在研究的基础上有着强烈的与日语对比的问题意识。即使不使用汉日对比的方法，我们还是会考虑到日语和汉语的语义、功能上的差异，从而开始进行研究。有些语言现象，以汉语为母语的学者往往会认为这是理所当然，一带而过，但其实是很有研究价值的，日本学者更倾向于挖掘出这类问题，并将其作为研究课题。此方面的调查有待进一步整理和研究。

参考文献

『中国語学』1947 年 1 号～1950 年 37 号、1951 年 1 号～2019 年 266 号，中国語学研究会（1-225 号）、中国語学会　(226-236 号)、日本中国語学会（237 号)。

『現代中国語研究』2000 年第 1 期～2019 年第 21 期，朋友書店（1-12 期）、朝日出版社（13 期）。

『中国語文法研究』2012 年巻（第 1 期）～2019 年巻（第 8 期），朋友書店。

『日中言語対照研究論集』1999 年第 1 号～2019 年第 21 号，白帝社。

致谢：本文部分调查由日本中央大学研究生院文学研究科高柳浩平先生提供材料，特此致谢。

日本中国语教育理论新构建

——仓石氏《中国语教育理论和实际》(1941)

李无未
(厦门大学中文系)

摘要：倉石武四郎《中国语教育的理论和实际》(1941)的学术贡献为：反思汉文教育的利与弊；倡导日本中国语教育制度改革，将汉文和中国语统一为一个整体的教学方式；认清中国语本质，与中国国语运动改革相适应，充分发挥注音字母的标记作用；实施新的中国语教学法方案。其意义在于：将中国语教育上升到国家教育系统学科制度建设与学科教育理论高度认识，将其专门化、系统化；为后来日本中国语教育发展提供了坚实的理论基础；已经成为世界范围内中国语教育的经典性著作。

关键词：倉石武四郎；《中国语教育的理论和实际》(1941)；学术贡献；学术意义

研究 20 世纪 30 年代至 50 年代日本中国语教育史，必须关注一位在世界范围内中国语教育界具有重大影响力的人物，那就是东京大学与京都大学两校合聘教授倉石武四郎先生。本文就其最具代表性的著作《中国语教育的理论和实际》(1941)进行评述，以期引起国内外学者们的注意：

一 、倉石武四郎及其著作

倉石武四郎(1897-1975)，据頼惟勤《倉石武四郎略歴》(倉石武四郎講義『本邦における支那学の発達』「はじめに」から)「『東洋學の系譜』[第２集](江上波夫編、一九九四・九、大修館書店)所収「倉石武四郎」(戸川芳郎)より転載」部分転録。倉石武四郎博士略歴，依据頼惟勤(頼惟勤『中国の名著』勁草書房)，由戸川補足)，他是新潟県人。从新潟県立高田中学校毕业后，于 1918 年考入东京帝国大学文学部支那文学科，1921 年毕业。随后，就去中国游学。1922 年在京都帝国大学大学院师事狩野直喜教授。1924 年在大谷大学任助教授。1925 年任京都大学专任讲师。第二年任助教授。从 1928 年开始，在北京学习两年。这期间，在北京大学、北京师范大学、中国大学旁听吴承仕、钱玄同、孙人和、马裕藻、朱希祖等人授课，并与胡适、鲁迅有过多次交往。在上海等地，还与章太炎和黄侃等中国知名学者过从甚密。1939年提交《段懋堂の音韻學》论文，获得文学博士学位。不久，任京都大学教授。1940年兼任东京大学教授。1945年以后，任东京大学文学部教授，直到1958年退休为止。仓石武四郎涉猎的领域很广泛，比如清代音韵学、现代中国文学、中国语学、中国语学教育等方面。他还主持日中学院、NHK的中国语讲座。编纂『岩波中国語辞典』等辞书。成为同时代研究中国语学，引领中国语学，建立中国语学学科的杰出代表，具有十分崇高的学术地位。

倉石武四郎发表的著作主要有：『支那語語法篇』，弘文堂書房，1938；『支那語繙訳篇』，弘文堂書房，1938-40；『支那語法入門』，弘文堂書房，1939；『支那語教育の理論と実際』，岩波書店，1941；『漢字の運命』，岩波新書，1952；『ラテン化新文字による中国語初級教本』，岩波書店，1953；『中国文学史』，中央公論社，1956；『変革期中国の研究』，岩波書店，1955；『中国語法読本』，江南書院，，1956；『中国文学史の問題点』，竹田復共編，中央公論社，1957；『初級ローマ字中国語』，岩波書店，1958；『漢字からローマ字へ 中国の文字改革と日本』，弘文堂，1958；『岩波中国語辞典』，岩波書店，1963；『中国文学講話』，岩波新書，1968；『ローマ字中国語語法』，岩波書店，1969；『中国語五十年』，岩波新書，1973；『中国古典講話』，大修館書店，1974；『中国へかける橋』(遺稿集)，亜紀書房，1977；『倉石武四郎著作集』全2巻，くろしお出版，1981等。

二、《中国语教育的理论和实际》体例及目录

《中国语教育的理论和实际》，原名『支那語教育の理論と實際』，仓石武四郎著，东京：岩波书店，昭和十六年（1941）三月发行。体例：仓石武四郎“序”、正文、附录。正文243页。

《中国语教育的理论和实际》目录：第一篇，汉文教育的衰微。一、帝国大学中国学从“九一八”事变以来为何变得寂寞？二、中国语学习是否应该先从高等学校中学校汉文课考虑？三、整个中学校汉文是为了读中国人文章，还是为了教日本人？四、用汉文书写日本过去的事情是当时日本国语教学的一种，其训读法，倾向于国语；五、在国语自觉发达的今日，为何训读成了日本人难以理解的东西？六、由于“返点送假名”原因，中国文章成了难以理解的东西。七、即使从汉文训读获知国语的变化，学生也会厌烦；八、德川

时代汉文万能主义盛行，其习惯在今天难以延续下来。九、“九一八”中国事变以来，文部省不能适应时代需要，其原因，在于用训读学习时文，这是与现代中国语学习相矛盾的。十、高等学校缺少汉文语学训练，学生中没有能读中国书者，进入中国语学习后，学习者当然没有办法走出这种模式来。十一、迄今为止，在大学的中国学训读教授，一向因为不能面向现代中国语，还没有出现优秀学者。十二、因为中国学问是直观的、综合的，由此，其医学等学科与西洋医学不同，特色鲜明。十三、中国语用直观的概念汇集，用一个一个日本语语音改读，原有的语音味道溜走了。十四、不能从德川时代锁国精神脱离出来，日本的中国学不久就会灭亡。十五、学者们厌倦文学研究的方式，倾向于思想史、政治史的研究法，会招致很大的损失。十六、中国学从现代中国游离出来，也就忘记了现代的日本生活。

第二篇，中国语学的改革。一、汉文和中国语是否有区别，从根本上讲，只不过是读法的不同。二、日本最早的吴音伴随中国六朝文化而传来，从平安朝传来汉音是经过了唐文化的渠道。三、由废止遣唐使并使音读衰落这一点上看，训读成了日本的秘传教学方式。四、在德川时代，用“返点送假名”，普及的是一般汉文，常被看作是虐待国语的方式。五、日本与当时中国进行怎样交流，限于长崎的视野。从长崎开始，唐音和汉文开始握手结合。六、明治以后，学校教的中国语，属于长崎中国语系统，和中国文化接触很少。七、长崎中国语对中国文书或者文学误译很多，涉及到的文法知识和中国常识不够。八、“九一八”事变以来，中国语需求急剧增加，但官吏或实业界，素餐之人很多，中国语人才极其匮乏。九、有鉴于此，在中等学校，统一汉文和中国语教学方式，一定会赋予中国语言文字研究新的生命。十、对先儒汉文，由原来照原音试读，转向用训读国语方式来读。十一、在中国语课读中国人文章，从新的地方进入容易，但从旧的地方进入很难。十二、配合中国语的学习，加上文化内容，以中国语学习为主，在中等学校编成班级。十三、高等学校汉文中国语循中等学校之旧例而统一安排，特别是要把中国语作为第一外国语，而募集班级学员。十四、在大学，把中国语和西洋语视为同等地位，建立真正的中国语学，不限于文学部，在法、经、农、工、理、医各学部，建立综合性中国语学制度。十五、从小学校五年级生开始，教注音符号和绘画，由耳入口，实施中国语教育。十六、弥补教员匮乏状况，对汉文先生进行再教育，要求其讲习，一定要按照现代中国语教学方式进行。

第三篇，中国语的本质特征。一、在中国语中如何区别官话系统、吴音系统、闽音系统、粤音系统等？其官话系统，北京话语音成为标准。二、日清战争以来，制定标准音和发音记号。值得期待的是，在中华民国七年，公布了注音字母。三、这些符号，取汉字简单之形，其或单用或组合，巧妙地表示全部标准音。四、西洋人用罗马字表示中国语发音，日本人用假名表示，能够用其他的语言作为通用的符号研制，还没有收到令人满意的效果。五、正式学习中国语语音，除了用注音符号之外，如果表示大致读音，用假名来表示也很好。六、对注音字母的科学与否进行讨论，但不要撼动其决定性的地位。如果完成注音汉字活字系统的话，注音符号会发挥更大的威力。七、表示中国语四声，在文字的四角加上圆圈，不如用直观的符号标记。八、汇集汉字表示的概念，没有经过相当的训练，就难能使用精密机械的分析方式理解，当然会产生音符化倾向。九、中国语概念积聚，不能区分品词，品词论文章论分开没有必要，不必适应西洋的文法教学形式。十、中国语语法不能区分受身和使役，简单地表示时间、数、性、敬语，是非常精炼的语言。十一、作为文化人，日本人一定要和中国打交道，储备文言修养，不必一定知道其音读。十二、从来训读文言语音的人，学习音读，精通现代音的人，学习文言语，自然能够用语言与其联系起来。

第四篇，中国语教授的实绩。一、受到旧教育恩惠的自己，投身改革之路，是受时代影响的结果。二、在外国研究中国语，一起清算训读教学。回国以来，对学生加以训练，收到超越预想的结果。三、活用中国老师的中国韵文讲义，亲自鼓吹学习文字学、音韵学。四、“七七”事变以来，把创立高等学校中国语文科当作“急务”，编写高等学校使用的中国语教科书，以京都为中心，改变了学界中国语教学面貌。五、再行将中等学校汉文和中国语综合起来，刊行中等中国语教科书，根据注音汉字谋划编辑汉籍丛书。六、视察兵库县立丰冈中学校研究性教学，可以确认的是，学生年龄虽然很小，但教学效果显著。七、视察京都市立第二商业学校研究性教学，他们施行科学的方法教授注音符号，成效显著。八、在暑假期间，教授小学校五年级儿童中国语，收集教师案例，公开发表。九、在日本，如果把纯粹假名文当作纯粹汉文改革，就应该节减汉字。中国人读日本文，一定要给汉字加上假名，日本人读中国的文章给汉字加上注音符号。十、对因处于各类生活困难境遇而无法进行中国语教学实践的人，为了他们，本书列举其种种疑问，并一一加以说明，力图释疑解惑。

附录：读谢冰心小说。一、寄小读者通讯二（谢冰心）；二、译文（仓石武四郎）；三、感想文（丰冈中学校学生）。

仓石武四郎在《中国语教育的理论和实际》“序”中说，在日本，发展最为迟缓的语学类别就是中国语与俄语。其事实就是，日本学者对研究中国语和俄国语态度十分傲慢。

其证据十分充分，俄语先不说，日本中国语教育的方法是幼稚的，很自然，日本国民缺乏中国语的一般知识，对中国语也缺乏足够的认识。事态发展到了今天这种地步，产生了怎样的深刻影响后果呢？是否会在将来某一天发生灾难？我自己仅仅承担责任中的一部分，为了国家，对此常常忧虑难堪。近年来，每月与中国学者往来至少两三封信，将“身命”系于中国大陆，从不认识的人们有关中国语教育的信件中获得激励。那里的人们，对中国语言教育寄予了相当大的热情，也对我自己中国语教学与研究事业刚好也是一个绝好的鞭策。

仓石武四郎《中国语教育的理论和实际》说，他研究中国语学历经二十年，是在尽一个语言学者应该尽的义务，志在提高中国语教育学术水准，开拓一个全新的中国语教育领域。长期以来，日本学者研究中国语学，分为汉文与中国语两种教学方法，其实，这是对中国语教育本质的最大误解，妨碍了人们对中国语教育的真实认识，拖延了中国语教育的学术进步步伐，这是必须要清除的学术弊病。要清除这个学术弊病，就要从研究中国语言文字的本质入手，巧妙融合汉文与中国语，揭示出更为强大的中国语教育特质，建构新的中国语教育理论与实践体系，实现奔向中国语教育福利之路的目的。

三、《中国语教育的理论和实际》学术贡献与特点

近八十年来，各国学者们从不同角度对仓石武四郎《中国语教育的理论和实际》加以解读，比如近藤光男《中国語文の国語訳に関する問題》（《中国語学研究会会報》1953 卷 18 号 4-7 页）引用仓石武四郎《中国语教育的理论和实际》对《庄子・齐物论》日本语翻译解读。仓石武四郎认为，这种翻译，实际上，已经完全变成日本国语了，失去了汉文“原味”，因此，对汉文教学，以训读为主。近藤光男是赞同这种看法的。松浦友久《大会シムポジウムにおける一二の問題—中国語のいわゆる文学性をめぐって—》（《中国语学》152 号 23-27 页，1965）谈到日本中国语教育中的现代和古典隔绝问题，认为《中国语教育的理论和实际》已经注意到了，主张文言用训读汉文，白话则用中国语，要有区别。松浦友久认为，当时具有划时代的意义，20 多年过去，在日本仍然具有现实价值（25-26 页）。吉原英夫《倉石武四郎氏の中国古典教育論について》（《札幌国語研究》第 3 号 77-87 页，1998）涉及到汉文教学与中国语教学结合问题。宫本めぐみ《近代日本における中国語教育と冰心：倉石武四郎の中国語教育を中心に》（《お茶の水女子大学中国文学会報》32 号 50-66 页，2013-04-27）认为，该书反映了战前日本中国语的教育状况。他关注的是倉石武四郎中国语

教育改革，以及在其改革中对冰心作品的介绍情况。可以见到，在『支那語教育の理論と実際』卷末，附录《謝冰心の小説を読みて》，研究授业课程中使用冰心《寄小読者通訊二》原文和倉石武四郎译文、学生感想文数篇，并加以刊载。倉石武四郎对读冰心小说给予了种种学术期望，其中之一就是让中学生写读后感，表达深情与感铭，并提起学生们对中国白话文的兴趣。倉石武四郎《中國語五十年》(岩波書店，1973）对《中国语教育的理论和实际》写作，也有所反思，认为，那时候所研究的问题，在20世纪70年代并没有过时，有的还存在着，需要进一步研究加以解决。安藤彦太郎《中國語と日本》(岩波書店，1988）高度评价了倉石武四郎《中国语教育的理论和实际》为中国语学科赢得与英语俄语德语法语同等“外国语学科”学术地位而做出的杰出贡献。

我们认为，截至目前，全面而科学探讨《中国语教育的理论和实际》工作还做得不够好，就目前来说，还没有一部全面而系统地研究《中国语教育的理论和实际》专门著作问世，这不能不说是一种非常大的缺憾。研究《中国语教育的理论和实际》可以从多角度入手，但最为紧要的还是要对《中国语教育的理论和实际》的历史性成就需要作出重新评估，并予以科学定位。这样做的结果，至少对世界汉语教育史研究中倉石武四郎的学术意义探讨是一个极大的促动，从而引起学术界对《中国语教育的理论和实际》历史价值的充分认识。

仓石武四郎《中国语教育的理论和实际》学术实绩是非常明显的，主要可见：

其一、反思汉文教育的利与弊。仓石武四郎以东京大学和京都大学“中国学”汉文科为例，通过学生的报考志向说明其衰落实态。比如东京大学，1938年入学者16名，1939年是13名，而1940年只有5、6名；京都大学从1937年以来，入学只有1名学生（1-2页)，人数非常少是显而易见的。为何会出现这样的问题？仓石武四郎认为，首先是日本的教育制度出现了问题。从前中学校汉文课，1-5年都有，但受“汉文废止论”影响，做了调整，大大减少学习的内容与时间；所编课文内容极其“老化”，不能与时俱进。训读汉文以国语为中心，所谓“返点送假名”学习法盛行，对学习中国汉文不起作用。其次是由于内容与实际脱节，学习汉文与中国当前政治文化的联系很难体现，很难引起学生们的学习兴趣。由此，增加“时文文牍”份额很有必要。再次是中日1931年发生的“九一八”事变之后，中等学校增加中国语课程时数，中国语课文用中国读音来读，这就造成了同是中国文章，却有两套“音读”系统，学生倾向于用“中国读音”读课文，而任课教师大多不熟悉中国读音而熟悉“训读”，二者难以沟通，势必影响汉文教学效果问题。

其二、倡导日本中国语教育制度改革，将汉文和中国语对立的教学方式，变为二者统一为一个整体的教学方式，建立一个新的中国语教学模式。要解决这个问题，就要从思想认识上去解决这个问题。任何一个国家，语言和文章都是容纳在一个教学系统中，所谓“言文一致”。日本训读汉文，是用了日本化的中国音，但却无视当代中国语音系统法则，这就必然造成汉文训读和当代中国语读音构成巨大的“音差”问题，如果从现实语音系统上着眼，并把它们统一起来，是不是就做到了“殊途同归”（54-57 页）？日本接受中国语言文字历史悠久，本着“先读经文，做到通熟，然后进行讲义”原则，重视音读，是最为基本的教学方式。但这个音读是当时时代的中国语音，吴音、汉音、唐音，都是中国历代语音的“日本映射”，逐渐形成了自我“训读”系统（57-78 页）。而中国语音也在发生着变化，直至形成以“北京音”为标准音的系统。日本中国语教育改革的出路在于，调和汉文和国语语体之间的关系。小学校国语教育完全是“口语文”，即便是汉文，也是“直译”，而中学校，逐渐回溯古代的“国语”。有了汉文“直译”基础，对古代汉语的理解“由浅入深”。另一方面，进行教育制度改革，在高等中学校和大学里设置中国语科，把它提高到和英语同等的地位上，也当作外国语对待。将汉文和中国语教育结合起来，汉文也属于中国语科。如此，把汉文和现代中国语文统一为一个序列，构成一个系统（97-98 页）。在中等学校，一年级，安排从中国语发音语法会话到简易的现代文内容。进入二年级、三年级，发音十分熟练，也掌握了现代语法，应该采用中国文语体教材，从容易、浅近、新鲜到繁难、远古，渐次深入。中国时文教材，大部分不适合于日本普通中等教育。在高等中学校，汉文与中国语也要按照中等学校新体制统一起来，把中国语作为第一外国语学习。在大学，要确立相关制度，必须规定，把中国语学和西洋语视为同等地位，不但在文学部开设，也要在法、经、农、工、理、医各学部开设，建立综合性的中国语学教学体制。

其三、认清中国语本质，与中国国语运动改革相适应，把中国语标准音教学放到一个重要位置上来，充分发挥注音字母的标记作用。仓石武四郎认为，改革中国语学教学，最为必要的是认清中国语本质，对中国语教学法应该进行改良，其结果如何，与研究是否精密，并和应用是否结合相关，这是改革是否成功的关键（125 页）。中国语覆盖的地域十分辽阔，历史悠久。中国语是中国文化的中枢，是汉民族语言标准。将中国语称之为支那语，并不合适。从日本人方面讲，生怕伤感情，但又怕和日本的中国地名相重合；从中国人角度看，有一种侮辱的意思。有的学者认为称之为中国语、华语比较合适（126-127 页）。中国语的人为性比较突出，伴随着国语运动而确定。1918 年，中国民国政府教育部公布注音符号。1928 年制定国语罗马字。将注音符号和国语罗马字合称为“国音字母”

(129-142 页)。从研究者来说，对注音符号着眼点不同，看法不同，当然用有色眼镜观察的还是存在的(142 页)。注音符号的缺点，鱼返善雄说了很多(《中国文学》63 号)，但金子二郎则予以反驳(《支那及支那语》第 2 卷第 89 号)(146-153 页)。仓石武四郎还是站在金子二郎立场看问题的。

仓石武四郎认为，中国语音节和声调具有个性特征。概念种类可以无限增加，但音节范围不会与之相应增加。方言区声调有的达到了八、九个，这是中国语音乐性的体现。标准语四声，还有轻声，在教学上，注意运用注音符号时，结合传统标记法去表现。仓石武四郎说，应该从中华民族思维方法入手去看中国语特质，比如喜欢用单音节词表达。中国人发音种类很简单，概念数量不但很容易地满足音节种类要求，还可以更为无限制地超过。中国文字是表示音素的文字，很清楚显示概念的方向，形音义结合。而用注音字母，恰好可以适应这一点(161-162 页)。针对有的学者认为中国语没有语法的观点进行了批驳，中国语语法是概念的构成与语句的构成没有明确的区别，依照自己的构造形式存在着，不同于西洋文法形式。中国语不需要区别品词，品词具有“融通性”；中国语语法因为选择最简单的方式表现，所以，在世界的语言中，是最经济、最简练的(158/165/165-169 页)。仓石武四郎点出了汉语的基本特点，这些观点，就是在今天来看，也是具有前瞻性眼光的，非常独到。

其四、对中国语教学的改革，在大学立标杆，立足于实施新的教学法方案，无论是内容，还是形式，都要有所创新。制造改革舆论，比如青木正儿曾发表《本邦中国学革新的第一步》论文。仓石武四郎本人在京都大学亲自做实验，“清算训读”，倡导“音读”(191 页)。比如讲解鲁迅《呐喊》，先说明中国语发音记号和“国音”字典使用方法，然后，开始讲读。1931 年，讲读《红楼梦》，并在课堂上尝试讲授语言学理论，以及清朝许慎《说文解字》学术概论，当然涉及到中国传统“小学”，诸如文字学、音韵学内容。实际上，贯彻“小学”为基础进而研究中国学的原则(192 页)。目的是，让学生，不但具有成为纯粹的“学究”理想，还要有从事中等教育的志向。在中国语教学上，也进行了改革，比如 1932 年，从北京聘请来傅芸子担任讲师。傅芸子在京都大学讲的课程有：现代小说、孟子、唐诗、长生殿、词选、毛诗、华语粹编、国语翻译等课，呈现的完全是一种新的教学课程体制，教学效果良好，摆脱了旧的汉文教学体制束缚(195—198 页)。仓石武四郎认为，“九一八”事变，让日本人关注的目光聚集到了中国，促使日本各界对中国语学现状进行重大反省，但当时，投机性的中国语书一时泛滥成灾。趁此机会，他力促提高中国语学地位，至少达到欧洲语学的水准。他认为，第一个着手应该做的就是在高等学校设置中国语文科，编写相应的高级中国语教科书。教授中国语，发音是第一个面临的问题，而注音符号是很有效的。与此相接续，他极力刊行《中国语发音篇》（1938 年 5 月）、《中国语语法篇》（1938 年 9 月）、《中国语读本》（1938 年 9 月）、《中国语翻译篇》（1938 年 11 月），以及傅芸子《中国语会话篇》（1938 年 10 月）。给汉字注音，就用了注音符号（199-205 页）。

仓石武四郎认为，从日本中小学生学习中国语实际做起，编写教科书，深入课堂，解决实际问题，施行科学的方法教授中国语注音符号，成效显著。其实验性的研究，在丰冈中学校、京都市立第二商业学校、德岛县阿波中学校进行实验，效果也是很好的（212-232 页）。

经过实验，结果非常有利，由此，仓石武四郎对中国语教学提出了比较成型的十条意见（233-243 页）：认识到诵读训练在中国语教学上非常重要；废止汉文训读传统，并没有丢掉日本精神；学习汉文经典，一方面是学习中国文化的需要，另一方面，也是继承日本文化传统的需要，这是中国和日本相互理解、沟通的“桥梁”；无论是教师，还是学生，无论哪个年龄段，学习中国语都是可以的，关键是“效能”如何；弥补教学人才匮乏状况，开办讲习会，比如京都大学主办的“中国语学讲习会”，办了十七、八期，集中时间“训练”、考试，很快达到培养教学人才目的；今日读汉籍的人逐年减少，妨碍国家文化传播之说并不是正确的判断；日本中国学的成绩引起了世界学者的注意，但切不可因此而自负；日本中国学方法特殊论，在为学术堕落而辩解，这很可能成为他人批评的“口实”；钱稻孙教授对中国学生进行日本式的训读“训练”，与日本学者将日语翻译成中国语，反省日语，没有什么两样，“异曲同工”；因为汉文是外国语，应该用日本“音读”，接续日本文脉，这其实是误解，用现代中国音读汉文，与学习中国文化相关，这二者是有区别的。

四、结语

如果从日本学者大槻文彦研究北京官话口语语法（《支那文典》，1877）算起的话，至 1941 年，日本近现代中国语教育已经走过了 60 多年的道路。在这期间，许多学者对日本中国语教学的“个体”要素理论有过总结，语音、语法、词汇、文字、会话，甚至工具书等，覆盖面比较广泛，但像《中国语教育的理论和实际》这样，将中国语教育上升到国家教育系统中的学科制度建设与学科教育理论高度认识，并且专门化、系统化，这还是第一次，在当时的在日本中国语教育上极其突出。所以，仓石武四郎《中国语教育的理论和实际》的出版，非同小可，是日本中国语教育上具有划时代意义的一件大事儿。《中国语教育的理论和实际》所建构的日本中国语学科和教学理论系统，触及到日本中国语教学历史与现实研究的方方面面，非常具体，也非常实际，因而，影响力非常大，成为重要的标志性的学术理论建构著作，为后来，即1945年以后几十年日本中国语教育发展提供了坚实的理论基础，这是必须认识到的。

多年以后，仓石武四郎回忆起自己写作《中国语教育的理论和实际》所面临的困境，非常感慨："当时，引起了相当大的反响，但在日本，却如洪水猛兽之害，批评之声不绝于耳！"(《中国语五十年》123-124页，东京：岩波书店，1973年)，可见，当时日本一些守旧与政治异见之人视之为眼中钉、肉中刺，欲拔之而后快，其问世是非常不容易的。

安藤彦太郎《中國語と日本》(岩波書店，1988)在论述近现代日本中国语教育地位变化时，肯定了《中国语教育的理论和实际》的贡献。由仓石武四郎调查，进而让世人看到当时中国语在日本大学教育体系中艰难处境。所以，安藤彦太郎说，重要的是，1941年前，日本在正规大学没有中国语课程设置，接受中国语教育则必须在专门性学校进行，很难进入正规主流。在外国语学校之外，若干官立高等商业学校，比如山口高商、长崎高商、神户高商等设置中国语，中国语课程也是没有地位的。所以，现在想起来，是不可思议的。从旧制的"一高"到东京大学，努力推进，筑就战后的中国语教育基础的，就是仓石武四郎先生。此后，继承这个大业的是藤堂明保先生(1915-1985)(王顺洪1997)。还有，从大阪高校到东京大学中国文学科最早把鲁迅文学传到日本的竹内好先生(1910-1977)等。在当前日本高校，不用说，只要是学习中国语，即使在大学正规的讲座，也要出现学习中国语的内容(6页)。这种情形已经与《中国语教育的理论和实际》所处的时代不可同日而语了。

安藤彦太郎还说，仓石武四郎也是积极推进战后中日友好的极其重要的学者之一。比如，在中华人民共和国成立之前一年，仓石武四郎就发起成立日中友好协会活动。1950年，即中华人民共和国成立之后一年，仓石武四郎已经离开京都大学，赴任东京大学教授，立刻主持日中友好协会的中国语讲习会，开展中国语教学活动。1951年4月，他积极奔走，正式建立独立的仓石中国语讲习会，由此，战后日本的中国语教学与研究之火熊熊燃烧起来(《中國語と日本》159-160页)。

仓石武四郎在近现代日本的中国语学科体系建设和中国语教学领域，其崇高地位是世所公认的，成为一座令中国语教育学者无限景仰而难以逾越的丰碑，已经无可非议。如此，《中国语教育的理论和实际》已经成为世界范围内中国语教育的经典性著作，迄今仍闪耀着智慧的光芒，一点也都不让人感到意外。

说明：本文系厦门大学人文社会科学重大项目（培育）《东亚汉语音韵学史（多卷本）》成果之一，特此致谢！

参考文献

倉石武四郎 1973. 《中国語五十年》，東京：岩波書店。

倉石武四郎 2002. 《倉石武四郎中國留學記》，荣新江、朱玉麒译，北京：中華書局。

倉石武四郎 2013. 《日本中国学之发展》，杜轶文译，北京：北京大学出版社。

王顺洪 1993. 倉石武四郎——现代日本汉语教育的先行者，《国外语言学》第3期：29-34。

王顺洪 1997. 藤堂明保——献身于汉语教育事业的日本学者，《国外语言学》第2期：46-48。

基于“词汇-语法”互动的汉语语法特征探索*

张旺熹
（北京语言大学）

摘要：本文从对汉语特点的描述出发，着重发掘汉语“词汇-语法”之间的互动关系，从“从词汇语义到语法语义”、“构式与词汇的互动”、“句位在词汇语义关系解读中的重要作用”三个方面，阐明汉语的词汇和语法具有强互动性。因此，我们要坚持走“词汇-语法”互动的汉语研究之路，这应当是汉语语法理论“本土化”建构的重要视角。

关键词：词汇-语法；词汇语义；语法语义；构式语义；句位

本文认为，汉语的基本特征探讨表明：汉语是一个以“词汇-语法”相互支撑、相互适应机制为主导而形成的语言体系；汉语在多个层面已经充分显示出“词汇-语法”密切关联、彼此互动的特征，这明显有别于以形态为核心的印欧语言的语法体系特征。对汉语“词汇-语法”互动关系的探讨，应当成为我们进行汉语语法理论体系建构的一个重要视角。

一、汉语语法特点概述

要讨论汉语语法理论的“本土化”建构问题，我们首先还是要立足汉语语法自身的特点，立足与世界其他语言（尤其是印欧语系语言）的语法特点的比较来探讨。

1. 1对汉语语法基本特点的描述

综合前贤时修的观点，汉语语法的特点，概而言之，大略如下：

（1）汉语是形态缺乏或曰不发达的语言。所谓形态发达的语言（比如印欧语系的德语、法语等），就是把必要的语法信息集成在形态变化之上，通过形态变化等手段加以表达；而所谓形态不发达的语言，比如汉语，就是没有把必要的语法信息集成在形态变化之中，而是主要通过词语与词语组合的秩序或是采用虚词等手段来加以表达。这其中，

---

* 本文根据 2016 年 9 月 25 日在日本大阪产业大学孔子学院举办的“汉语语法教学与研究的本土化理论建构”国际研讨会所做演讲的提纲扩充而成。

词语与词语组合的秩序，就非常典型地体现了“词汇-语法”的互动特征：“学习汉语”是一个动宾结构，属于谓词短语；换个词序，变成“汉语学习”，就是定中结构，属于体词短语，这就是汉语“词汇-语法”互动的手段。而这种差别，在形态语言中就必须通过改变动词（“学习”）的语法形态（比如不定式或现在分词）来实现，这是一种相对单纯的语法手段。

（2）虚词是重要的基本语法手段。汉语中存在大量的虚词（半虚词）（副词、介词、连词、区别词、语气词、叹词、量词、代词等等），这是一个显然有别于其他语言的基本事实。之所以称为“虚词”，就是因为这个词，兼具一定的词汇意义和语法意义，因此它是一个“词汇-语法”的复合体。像汉语中的副词就典型地具备这一双重属性：如副词“往往”，就既有“经常”的词汇义又有修饰另一实词词组（动词词组）的功能性，比如“他往往能逃跑成功”。况且，汉语中的实词和虚词，也不是一成不变的，经常处于实词向虚词语法化（也就是虚化）的进程当中。这一情形，无疑加深了汉语“词汇-语法”的互动性。

（3）语序是汉语最基本的语法手段之一。所谓语序，就是在词汇单位基本不变的条件下，通过词语与词语之间相对位置关系的调整来确定语法关系和语法意义，其本质体现的是句位特征。同样是“研究”这一个词，放在名词“问题”前边，它是动词，而放在名词“汉语”后边，变成“汉语研究”，它就变成了名词。严格地说，汉语的一个词形，所能代表的语法属性是隐性的、多变的。关键是要看它在现实的语言行为中处于怎样的句位。打个比方，印欧语系语言的词汇是通过形态展示语法意义的，这好比足球队的球员穿了带着号码的球衣，号码确定了，无论球员在哪个地方，其功能职责是明晰的；而汉语的词语，就好比没穿带号码球衣的球员，他打几号位，发挥什么样的功能，关键是看他站在谁的旁边。因此，汉语“词汇-语法”的互动关系就显得更为紧密。

（4）汉语的词类和句法成分之间，并不简单地一一对应。由于汉语的词并不严格遵守词类的界限，也就不存在它与句法成分之间严格的一一对应关系，这一点显然区别于印欧语系的语言。汉语中，一个名词落实到具体的句子时，大部分时候是充当主语或宾语，但在一些特殊的句法条件下，它也可以充当动词或形容词，甚或副词。也就是说，汉语的词类，在基本功能范围大致确定的情况下，也有一些突破这种基本功能的能力并在具体的句子中成为现实：看一下“阳光”这个词在以下结构中所充当的成分，我们就可以明确地体会到这一特点：“阳光温暖大地、给点儿阳光就灿烂、阳光女孩、阳光招生、阳光世界”。我们还是回到词汇和语法的关系上：一个词汇成分的语法属性，在相当程度上取决于和它组合的那些个前后成分的性质。这难道不是“词汇-语法”互动性的表现吗？

（5）汉语中，词、短语和句子结构的方式具有基本一致性。汉语的词（大多为复合词）是由实词素结构而成，这样词的内部就必然存在一种结构关系；汉语的短语一般是由实词与实词结构而成，那么，这个短语内部也必然存在一种结构关系；汉语的句子自然主要是由实词和/或短语结构而成，这个句子内部当然也存在一种结构关系。由于汉语这种层层组合而成的内在结构，必然带来一个清晰的语言系统的事实，这就是：汉语的词、短语和句子之间，在深层的结构方式上具有基本一致的平行性：比如“红眼”—“红了眼”—“红了眼睛”。这种情形带给汉语的一个很大麻烦是：词和短语、短语和句子，彼此的界限有时候就不是那么清晰（“鸡蛋”是词，那“鸭蛋”“鹅蛋”呢？）。词汇单位和语法单位的纠缠始终是汉语中一种不可回避的矛盾。

（6）汉语是量词丰富而发达的语言。已有研究表明，汉语不仅用于计量的量词数量多（一本（部/捆/摞/书柜）书、），而且量词在汉语句法结构中占有重要的地位，不同的量词句法形态，具有细微的语法意义的差别，如：一本书/一本一本书（地），一枚军功章/军功章一枚/美女一枚。汉语的很多句法结构必须以数量名结构为条件（*盛碗里鱼/盛碗里一条鱼）。量词，本由名词语法化而来，况且汉语还有所谓的“临时量词”，汉语可以把一个典型的空间名词，根据表达的需要临时改造为“量词”（一车油/一车的油）。这一现象，无疑也是由“词汇-语法”功能的互动性所导致的。

1.2 汉语语法的基本特点反映出“词汇-语法”的密切关系

从我们对汉语语法特征的上述描述可以清晰地看到，汉语语法的基本特点已经反映出词汇和语法之间密切互动的关系。具体表现在这么几个方面：

（1）汉语的虚词，本身就是一个词汇和语法属性兼而有之的成分，绝大部分虚词都是从实词（词汇）单位语法化（虚化）而来，因而虚词也往往被称作“功能词”就是这个道理。

（2）量词本身显然是名词词汇功能的一种拓展，也是语法组合关系的一种特定要求，汉语的数词和名词组合，中间必须加量词，这不仅是语义表达精细化的需要，更是汉语语法结构规则的一种强制要求。

（3）汉语语序之所以如此重要，本质上就是因为，在缺乏丰富的形态手段的情况下，它反映了词汇与词汇之间的线性序位结构关系，尽管词汇成分没有发生改变，但一旦词汇成分之间的线性序位结构关系发生了改变，短语结构的性质和意义也就随之而改变。

语序因此而成为汉语的一种重要语法手段。

（4）词、短语、句子三级语法单位，在结构方式上具有基本的一致性，说明它们以词为基础的内在组合规则是协调一致的和平行的，因而构成整个汉语语法结构的基本框架。这在根本上体现了词汇对语法的基础作用。

（5）汉语的词类和句法成分之间，并不像形态语言那样简单、直接地一一对应，说明汉语词汇具有句法功能的多样性：一方面，词汇的句法功能要靠其所处的句法环境来确定；另一方面，一定的句法环境也会反过来制约词汇单位的句法功能。古汉语中名词的动用、形容词的使动和意动用法大抵如此。

从以上两个方面的描述和分析我们认识到，至少有一条路是我们所应当坚持探索的，这就是要沿着“词汇-语法”密切关联、彼此互动的思路，去挖掘汉语语法的基本规律，从而构建起汉语语法的“本土化”理论。

二、从词汇语义到语法语义

我们认为，语法研究的核心任务是要弄清语法单位的语义及其语义关系，因此，语义问题必定会是语法研究的中心。无论是词汇语义还是语法语义，都是我们建构汉语语法理论体系的重要基础。下面，我们就从三个方面来看一看词汇语义和语法语义之间的关系。

2.1 语法是词汇单位之间多重特征协调组合关系的基本规则

首先，让我们来看一下词汇单位的语义问题。一般而言，一个词汇单位，它应具有五个方面的基本特征。（1）语义概念特征，如“男人—男子”这对词汇单位，都反映了与“女性”相对应的概念；（2）句法能力特征，如“给—给予”这对同义动词，都具有三价动词的句法能力（“他给（予）我很大帮助”）；（3）韵律组配特征，如“喝—饮”这对同义动词，我们可以说“喝水”也可以说“饮水”，可以说“饮马”但不能说“喝马”；（4）认知特征，如在汉语中，“肉—猪肉、牛肉、羊肉”的关系就很复杂，“肉”既可以是“猪肉、牛肉、羊肉”的统称，也可是“猪肉”的单称，这与说话人的认知场景密切相关；（5）语体特征：如“进行/从事—做/搞”这两组动词，一组是典型的形式动词（进行/从事），另一组则是普通（口语）动词（做/搞），尽管他们作为词汇单位的语义相差不大，但他们有着明显的语体差别：书面语—口语。从词汇单位这五个方面的特征来考察，我们看到，它们显然都与语法意义密切相关。因此，词汇语义和语法语义并非截然割裂。

2.2 汉语系统中天然并存着词汇和语法两套语义系统

由于汉语是分析型语言，缺乏严格而丰富的形态来表达细腻的语法意义，因此，汉语似乎早就存在着两套语义范畴：词汇范畴和（弱）语法范畴。我们可以从三个方面来看这一点：

（1）印欧语言所谓的语法形态（意义）系统，在汉语中有时会通过弱语法范畴来表达，但更多的时候，还是通过词汇语义范畴来表达。比如，汉语的时体范畴，虽然汉语有“了、着、过”这样一些时体助词（语法范畴），但我们也不难看到，现代汉语中也存在着大量的词汇范畴形式，如表达过去时的“曾经”，表达现在时的“现在/正在”，表达将来时的“将要（快要、马上）”，表达过去进行时的“曾经在/那时正在”，表达现在进行时的“现在正在”，表达将来进行的“将要在”，表达近过去时的“来着”等等，我们很难对这些成分确定一个清晰的标签，它们到底是词汇手段还是语法手段？

（2）汉语中的许多词汇语义，与句法语义之间，具有相当平行的对应关系。汉语中的许多范畴，既有词汇表达形式，也有语法表达形式。像汉语中的“程度”，除了能够表达“程度”意义的词汇单位外，也还有所谓的程度状语、程度补语等语法手段；像汉语中的“方式（手段）”，除了能够表达“方式（手段）”意义的词汇单位外，也有所谓的方式（手段）语法手段，如方式状语、方式宾语、方式补语等等。汉语中目的、结果、配比等范畴的表达，也大体如此。

（3）汉语中的某些词汇成分，也同时兼具语法语义和词汇语义两种性质，这一点，在形态发达的语言中是难以看到的。汉语中存在着大量的动介兼类词（如“跟、比、将”）、名副兼类词（如“本来、原来、平常”）、形副兼类词（如“顶、好、快）、副连兼类词（如“可、果然”）、动助兼类词（如“了、着、过、来着”）等，这种大量的词语兼类现象的存在，充分说明汉语词汇语义和语法语义之间有着多么密切的联系。

2.3词汇成分的语法化与语法成分的词汇化

对任何一个语言系统而言，除了语音系统这一物质外壳外，其词汇成分和语法成分，当属语言符号系统中两个内在而庞大的支撑体系，而它们之间并不存在“井水不犯河水”的清规戒律。对汉语来说，词汇成分的语法化和语法成分的词汇化，是时常发生的语言现象。让我们从以下四个方面来观照。

（1）汉语实词的半虚化与虚化。汉语中的基本实词，很多都存在着半虚化甚至完全虚化的现象。像名词半虚化为量词（有人称作“半虚词”），数词虚化为不定冠词（一个和尚挑水喝/一个小和尚能干什么），汉语中的很多名词，会在形容词（动词）到副词（介词）直到连词的虚化路径上不断前行（比如“和”），汉语的动词会向介词再向连词语法化（比如“跟”），有些动词还会虚化为唯补词（如“搞掉”的“掉”）等等。

（2）从虚词到特定的助词。从语法化程度上看，汉语的助词（尤其是时体助词“了、着、过”），其虚化程度远高于一般的虚词。我们也知道，汉语的时体助词是从实义动词经过漫长的语法化过程而来。如汉语的助词“了”，是从表完成的动词“了liao”（了了一桩心事）到补语“吃不了（liao）”再到表完成/实现的助词（吃了一顿饭）最后到表示变化的语气词（不来了）。对汉语来说，只要我们愿意，我们总能在汉语语法化而来的虚词成分身上找到其原本作为实词语义的那么一点儿影子。

（3）从句法结构到话语标记。随着人们对汉语口语研究的回归，话语分析和互动语言学兴起，汉语中原来一些被看作句法结构的成分，现在也越来越多地被看做话语标记或是语言的互动性成分。这实际上是把原来的句法结构单位看成了一种功能性的成分，这加速了人们对语言内在系统互动性的认识。比如，汉语中的“你看、你想、你知道”，“我看、我想、我知道”、“你以为（呢）、我以为”等，越来越展现出其作为话语标记的丰富功能，而非其句法独立成分的属性。

（4）语法成分的词汇化。词汇成分的语法化和语法成分的词汇化，是语言系统发生变化的两个最基本的双向的内在途径。就汉语而言，词汇成分的语法化可能发生得更经常一些，但这并不能否认汉语也会发生语法成分的词汇化的现象。对现代汉语来说，传统中所说的可能补语（比如“V不C”结构）的词汇化，应当看做汉语语法成分词汇化的典型代表。像“来不及、吃不开、想不到、对不起、动不动、犯不着”等，在很多语境下，已经是作为一个词汇单位而非语法单位（可能补语）在使用了。例如，“消消气，犯不着跟这种人生气”中的“犯不着”。

从以上三方面的讨论我们能够认识和理解汉语的一个基本事实，即汉语的词汇语义和语法语义并存并且在很大程度上相通、相联、相互转化。这是对汉语“词汇-语法”强互动关系的一个很好证明。

三、构式与词汇的互动

随着构式语法的兴起，人们对构式在语言结构系统中的独特作用有了愈加清晰的认识，这其中就包括构式和词汇的互动关系。简而言之就是，特定构式对特定词汇有着极强的选择性，特定的词汇反过来对特定的构式形成也具有极强的支撑作用。我们可以从五个方面来加以认识。

3.1 构式的生成是对特定的词汇成分加以选择并有机组合的结果

我们认为，一个构式是由特定的词汇成分稳定构成的一种特殊结构体。已有研究表明，在汉语语法中，构式地位的突出，与汉语“词汇-语法”互动关系紧密不无关联。让我们来看几个简单的汉语构式：（1）“有的是+NP”作为构式表示“大量”的构式语义，这其中，“有的”和“是”就是彼此相互适应、相互选择、相互成全的结果；（2）“都NP了”作为构式表示“序位”义，其中的“NP”必然要求是“有序名词”，如“12点、深夜、中学生、少将”等，那些无序名词（如“老虎、海滩、阴天”）是不能进入这一构式的；（3）“VP来着”作为构式，有两种语法语义：一是表示“近过去时”（如“我刚去找你来着”），二是话语标记，起交互提醒的作用（如“看我昨天说什么来着”）。就说作为话语标记的构式吧，其构式成分VP，一般为言说动词（如“说、讲、告诉（你）”），还要外加一个疑问代词“什么”。这些例子充分说明，任何一个构式的形成，都不是随便的一些词汇单位杂乱拼凑的结果，而是构式对特定词汇单位加以选择运用的结果。换句话说就是，任何一个构式都对词汇成分具有相当的选择性。

3.2 构式对词汇语义具有压制或激活的双重能力

我们说，特定的构式对特定的词汇具有选择性，一般而言，符合构式语义和句法需要的词汇成分会被优先选进构式之中，成为构式的一部分，如汉语典型“把字句”对位移动词的选择；另一方面，少数不符合特定构式语义和功能需要的成分，在语言的发展或变异中可能被选进或是主动“闯入”构式后，构式对这些词汇成分是具有压制或激活的双重作用的，这体现了构式开放和包容性的一面：对不符合构式需要的词汇成分的某些属性加以压制，以迫使其符合构式的需要。让我们来看汉语中的数量配比构式。“一人一把枪”是这一个典型的构式实例，它表示人和枪之间的数量分配关系（一对一）。我们也可看到一个有趣的现象：这一句子中，无论有没有动词出现，或是有什么样的动词出现，都不能改变数量配比的构式语义：一人一把枪=一人（拿）一把枪=一人（买）一把枪=一人（扛）一把枪，如此等等。这就是构式压制了具体动词的行为方式语义，而只配置给它们在构式中的配比方式语义。另一方面我们也看到，对表面上不符合构式需要而内在地具有符合构式需要的某些特征，构式会对词义加以激活，以促使其满足或是适应构式的需要。让我们看3个例子：（1）团团伙伙：本来"团伙"作为一个集体名词，并不具备构成AABB式名词（量词）重叠构式的能力。但随着语言的发展，"团伙"也按照"AABB"式名词（量词）重叠开来，构成"团团伙伙"这一构式，表示"搞不正当事情的小集团"的语义，这是汉语"AABB"式名词（量词）重叠构式对名词"团伙"的一种语义激活；（2）把酱油打回来/把自行车蹬回来。在这两个"把字句"中，动词"打"和"蹬"都非"把字句"构式所需要的那种典型"位移动词"。而当这两个动词"闯入""把字句"构式后，在整个构式力量的塑造下，"打"和"蹬"也就获得了"位移动词"的语义：打酱油=买酱油（"买"显然具有"使被购买物位移"的语义）；"蹬回来"，"蹬"在"回来"的作用下，激活了其本来具有的"骑"的语义，因而"蹬回来"="骑回来"。这是构式对词汇成分的语义激活的例子；（3）连NP都VP：研究表明，作为构式的"连NP都VP"，一般要求进入其中的NP须是有序名词，也就是说这一构式的语义是通过激活某一有序名词而激活整个序列的语义："他连排长都没当过"，其构式语义的重点在于：更不用说他当连长、当营长了，如此等等。而汉语中，就是有一些本来不具有有序性特征的名词（如"痰盂"、"肥皂"、"水果"等）就偏偏进入到这一构式当中："家里连个痰盂/肥皂/水果都没有"，从而形成特定的构式语义——条件语义。之所以能够如此，我们认为，是"连NP都VP"构式，塑造了无序名词"痰盂""肥皂""水果"的有序义：家庭生活的最基本条件。这说明：构式和词汇之间，既是相互选择的，也是相互成全的。

3.3词汇成分也具有改变构式语义的张力

一般而言，特定构式对进入它的词汇成分的语义和功能是有强制选择的力量的，但"词汇-语法"的互动也是语言系统中更为深广的一种力量，因此，我们在看到构式选择词汇时，也能够看到另外一种景象，即某些词汇对某种构式具有一种张力，也就是说，当少数不符合特定构式要求的词汇成分一旦"闯进"该构式，那么，就会产生两种情形：一种是词汇成分改变自身的属性以适应构式的要求；另一种是词汇成分突破构式的限制而改变构式本有的构式语义。让我们来看三个例子：（1）"把 NP 叫做/称作/当做 NP"构式：这个非典型的"把字句"构式，由于它选择的不是典型的位移动而是"叫做/称作/当做”一类的认知义动词（短语），便导致这个“把字句”构式的语义发生重大改变，从典型的现实位移义变成了心理位移义，也就是一种心理认同义。（2）“V不C”构式：本来汉语中的“V不C”构式一般表示“愿而不能”的语义，如“睡不着”；而一旦“V不C”结构具体实现为“打不死”这一短语时，其“愿而不能”的构式语义就变成了某种属性义，如“打不死的吴琼花”，表现吴琼花的坚贞不屈；（3）“打得很AP”构式：一般情况下，汉语中“打得很AP”构式用来表现动作行为的结果，如“打得很惨”，但是，当形容词“潇洒”进入该构式而构成“打得很潇洒”时，构式语义就由表现结果转而表现现实的或心理的状态：“这场球他打得很潇洒”。一个构式的基本语义是确定的，但随着少量非典型构式成分的进入，构式语义会或多或少地做出改变。我们语言的“词汇-语法”系统就是在这样的良性互动中得到不断的丰富、语义也得到不断的细化的。

3.4 构式的语义框架对词汇语义解读具有重构价值

随着框架语义学的发展，人们对语义的理解有了进一步的深入：一个词汇成分的语义，它不是孤立的，而是与构式框架的语义相辅相成、相伴而生的。从这个角度说，词汇语义与构式语义自然也是互动而成的。让我们来分析3组例子：（1）“他跑了90米—他跑了100米”，这一对句子的语法结构和词汇成分是基本相同的，但它们的构式语义却大相径庭。“他跑了90米”，一般来说就是一个普通的陈述句——数量补语句，而“他跑了100米”，作为构式，却有两种构式语义：一个是与“他跑了90米”相同的普通陈述句，另一个则是与“他跑了90米”不同的特殊陈述句——运动构式语义。“他跑了100米”中的“100米”作为一个短跑运动项目可以看做是动词“跑”的宾语，它激活了运动的语义框架，从而确定这个构式作为运动语义的存在：“他跑了100米”就是“他参加了100米跑的项目”的语义，这显然是受到更大的运动语义框架制约的。（2）“小妹在院子里洗衣服—小妹在五道口洗衣服”，这两个句子成分的差别仅仅在于两个句子中的处所成分不同：一个是“院子里”，一个是“五道口”。正是这两个句子成分的差异，带来了两个句子分属两种构式的不同：“小妹在院子里洗衣服”是“小妹在做家务劳动”，而“小妹在五道口洗衣服”则是说“小妹以洗衣服为职业在五道口谋生（工作）”，两者语义大相径庭。诸如此类的例子还有“他在讲台上站了40分钟—他在讲台上站了40年”。（3）“桌子上摆着酒席—院子里摆着酒席”，这两个句子，由于词汇成分“桌子上”和“院子里”的差别而带来两个句子语义的不同：相比而言，“院子里”的空间量显然要大于“桌子上”，因而“院子里”所能容纳的场景显然要复杂于“桌子上”，所以“桌子上摆着酒席”的“酒席”，仅指饭菜烟酒糖茶一类的东西，而“院子里摆着酒席”的“酒席”其语义广度则要大得多，它不仅指桌子上的“饭菜烟酒糖茶”一类，还指向高朋满座、杯觥交错的人群，是一种人的活动。以上三例生动地说明，一个构式语义框架对进入该构式的词汇语义的解读，具有重要的重构能力，也就是说，一个词汇成分的语义如何解读，在很大程度上受制于这个词汇成分所处的框架，其“词汇-语法”的互动性不言而喻。

3.5 词语的超常搭配是推动句法结构语义发生改变的一个重要手段

我们认为，所谓语法，说穿了就是词汇与词汇相互组合的规则。一般而言，词语的常规组合，表达的是一般认知意义上常规的语法语义（吃饭、喝水），而词语的超常规组合（也就是我们常说的“超常搭配”），表达的就是超出一般认知意义的非常规的语法语义（吃大碗、喝西北风）。自然，词语的超常搭配，除了形成超常的语法语义之外，往往也是推动句法结构关系发生巨大甚至根本改变的重要手段。因此，词语的超常搭配往往又带来新的构式，明显具有词汇与构式互动的特征。下面，让我们简要分析4组词语的超常搭配。（1）偷钱—偷人，丢钱包—丢人。原本两个带非人宾语的动词（偷、丢），一旦带上了指人宾语（人），新构式的语义范畴就发生了巨大的变化，完全不同于原来的构式语义了。（2）被谋杀—被自杀、被安排（工作）—被就业。被动标记“被”的常规搭配成分是及物动词（谋杀（警察）、安排（工作）），但是，随着新型构式的兴起，“被”搭配上了不及物动词（自杀、就业），于是就带来了表示被主观认定义的新型构式语义（被认为是自杀、被认为得到就业）。（3）感动大家—感动中国。本来“感动”带上表人名（代）词（大家）是动宾短语，表示“令大家感动”的语义；但当“感动”带上“中国”这个新的一类名词后，这个短语便成为新的表示定中关系的构式，表示“令中国感动的人（事）”。随之而来的“经典中国”“梦想中国”“音乐中国”“诗意中国”大抵也如此。（4）最休闲—最成都。本来，“最”作为汉语中表极性比较的副词，其常规搭配是带一般的性质形容词（如“休闲”），但近年来，出现了“最+NP”的超常搭配—— “最中国、最北京、最杭州”等一类，这就改变了“最”的性质，形成了“最+NP”新型构式的语义——最具有NP特征的（人/物）。

通过上述4例的简单分析我们可以看到，词语的超常搭配，往往带来新的构式，自然也就产生新的构式语义。这是不言自明的道理。

四、句位在词汇语义关系解读中的重要作用

众所周知，汉语是语序发达的语言，因此词语之间的相对位置，我们把它叫做“句位”，“句位”在汉语语法系统中占有十分重要的基础地位。具体而言就是，句位在词汇语义关系的解读中起关键作用，而不像形态发达的语言那样，形态在词汇语义关系中起关键作用。下面，我们从四个方面对此加以简要说明。

4.1 词汇顺序的颠倒会改变相关词汇成分乃至整个结构单位的语义和功能

这是汉语语序手段最基础、最显明的作用。在汉语中，两个完全相同的词汇成分，只要它们之间排列的相对位置颠倒一下，无论是词汇还是句法结构，它们的语义和功能都会发生改变。像“学习汉语—汉语学习”“向雷锋学习—学习雷锋”“他是昨天来上海的—他（是）昨天来的上海”等等，便是如此。其中的道理比较容易理解，不赘述。

4.2 不同的句位有不同的语法语义和功能

前文说过，句位是词汇成分之间在句法结构中所占据的相对位置，虽然词汇成分相同，只要它们所处的句位不同，它们就会有不同的语法语义和功能的解读。例如：（1）开花—花开。两个句法单位的词汇成分完全相同，但“开”和“花”两者所在的句位各不相同，因而这两个短语的语义和功能便是不同的；（2）主席团坐在台上—台上坐着主席团。这两个句子的构成成分几乎完全相同（除了“在”“着”虚词不同），但是，由于“主席团”“台上”这两个名词短语所处的句位不同，于是就形成了主谓补句（主席团坐在台上）和存现句（台上坐着主席团）两种构式：两句中的“主席团”和“台上”的语义分别就会有一些不同的解读。（3）他开心地笑了—他笑得很开心。这是一个形容词（“开心”）分别作状语和作补语的句子。在“他开心地笑了”中，“开心”处状位，用于描写“他”笑时的内心状态；在“他笑得很开心”中，“开心”处补位，用于描写“他”因笑而展现出的开心的样子。以上三例说明，由于语序是汉语重要的语法手段，句位在词汇语义和功能的解读中，就起着十分重要的作用，应当加以认真观照。

4.3 句位的增减也会影响相关词汇成分的语义和功能

汉语是分析型语言，句法结构单位的形成，在很大程度上取决于进入该句法结构的词汇成分的多寡及其相互的线性排列关系。对汉语而言，一个词汇成分所关联的词汇单

位越多，其语义解读就越复杂，换句话说，句位无论增加或是减少，都会致使相关词汇成分的语义和功能发生变化。这方面的例子并不少见。如：（1）我跟她—我跟她结婚。在“我跟她”中，“跟”一般解读为动词，在“我跟她”后增加一个动词“结婚”，“跟”便只能解释为介词。类似的例子还有：“我比（不了）她—我比她学习好”，两句中的“比”因为各自后续的词汇成分不同而只能作不同的语义和功能解读。再如（2）我送她—我送她书。两个句子中的动词“送”，由于后续的词汇成分不同而要作不同的解读：“我送她”中的“送”是二价动词（迎送），而“我送她书”中的“送”是三价动词（赠送）。之所以有这样的差别，就是“我送她书”比“我送她”多了一个句位。反之亦然。这组例子充分说明，汉语词汇单位的语义和功能，是与句位，也就是语序密切相关的，彼此有着良性的交互关系。这一点应当引起我们的充分注意。

4.4 语法语义是句位和词汇成分交互作用的结果

基于“词汇-语法”互动这一点，我们认为，在汉语语法系统中，语法语义的形成，是句位和词汇成分交互作用的结果。也就是说，一个语法单位的语义的形成，其中既有句位意义的影响，也有词汇语义的作用，彼此是相辅相成的共生关系。我们通过以下3组例子的分析来理解这一情形。（1）很+NP：很中国、很男人、很淑女、很阳光。我们知道，“很”在现代汉语中是使用最为普遍的一个程度副词，它要求后面带性质形容词。而随着汉语语法系统的变化，现在的“很”在一定条件下也可带上NP，构成“很”修饰名词的结构。这时，我们便很难说到底是“很”改变了副词的性质可以直接修饰名词了呢，还是名词改变成了形容词以适应“很”的句法要求。（2）VP+NP：登陆上海、服务人民、娱乐大众。这组结构中的动词，原来是不能直接带名词宾语的，但在这些结构中，它们都带上了名词宾语。这是因为，当名词后附在这些动词后，强行改变了这些动词原有的功能，因而导致了“在上海登陆”向“登陆上海”、“为人民服务”向“服务人民”、“使大众娱乐”向“娱乐大众”转变。（3）VP+NP：吃食堂、吃火锅、吃大碗。由于“食堂、火锅、大碗”并非一般认知意义上的食物，这些名词跟在动词“吃”后面便构成了超常搭配，因而也就不能再按照一般的动宾结构来理解。认知经验告诉我们，汉语中的“吃食堂、吃火锅、吃大碗”都是一种生活方式或饮食习惯。这种语义的形成，是动词“吃”和名词“食堂/火锅/大碗”之间的语义相互激活的结果。从以上三组例子我们不难看到，汉语中一个语法单位的语义的最终形成，不是哪一个词汇成分独立所能左右的，而是彼此关联的词汇成分之间再加上句位的交互作用而产生的。这一点，我们过去的语法学理论在认识上是有局限的。

五、结语

基于与印欧语系形态语言的比较，我们对现代汉语语法的特点进行了简要的描述，又从词汇语义到语法语义、构式与词汇的互动以及句位在词汇语义解读中的重要作用三个方面，将汉语“词汇-语法”的互动性作了简要的分析，虽未必准确、全面和深刻，但我们相信这应当是能说明一定道理的。这个道理归纳起来主要是两点：

第一，语法从来不是一个完全独立的系统。语法与词汇语义、与语音和话语都有着密切的交互关系。我们要学会在语法与词汇、语音、话语等多个层面的交互关系中来探求汉语语法的特点，否则将会是缘木求鱼或是盲人摸象。

第二，要坚持走“词汇-语法”互动的汉语研究之路。我们认为，汉语语法的根本属性之一是“词汇-语法”具有强互动性，这是由汉语作为分析型语言和强语序型语言的本质特点所决定的。正是基于这一点，我们特别强调，要在对“词汇-语法”的互动接口中研究汉语。上世纪70年代在法国兴起的“词汇-语法学”研究，已为我们提供了很好的启示，之后国内的词汇语义学研究，也为汉语语法研究打开了新路。走“词汇-语法”相结合的研究路子，在“词汇-语法”的互动中探求汉语语法理论的“本土化”建构，应当是符合汉语本质特点需求的，因而也会是有光明前途的。

语法化视角下的日汉存在型时体标记之研究

吴　婷・靳卫卫
（北京外国语大学佛山研究生院；关西外国语大学）

摘要：存在型时体存在于世界多种语言之中，由存在动词演变而来，与存在动词之间有着密切的关联。从存在动词到存在型时体标记的演变过程，是一个复杂的语法化过程。本文基于语法化视角，从时体意义、语法化路径、与动词的关系等角度，对日语“シテイル”“シテアル”、汉语普通话“在+V”及汉语粤方言“喺度+V”等存在型时体标记进行对比研究，阐明其在语法化程度上的差异。

关键词：语法化；存在型时体；存在动词；日汉对比研究

一、引言

语言在不停地发展变化。当某个语言成分的意义发生转变时，其与文中其他成分的组合搭配及其在句中的应用规则也会随之改变。一个词的意义从实词意义向功能意义的演化，在传统的汉语语言学研究中被称为“实词虚化”，在现代语言学研究中被称为“语法化”（grammaticalization）。存在动词，是表示人或物存在于某一空间中的动词。世界各语言中，存在动词演变成存在型时体标记的语法化现象并不罕见。

就“妈妈在厨房做饭”这一场景，在日语、韩语、英语、汉语普通话、汉语粤方言[①]中，以下例句可以成立。

（1）日语

a：お母さんが台所に**いる**。　　b：お母さんがご飯を作っ**ている**。

（2）韩语

a：엄마가 부엌에 **있어요**　　b：엄마가 요리을 하**고 있어요**

（3）英语

a：Mom **is** in the kitchen.　　b：Mom **is** cook**ing**.

（4）汉语普通话

a：妈妈**在**厨房。　　b：妈妈**在**做饭。

（5）汉语粤方言

a：阿妈**喺**厨房。　　b：阿妈**喺度**煮饭。

在例（1）～（5）中，（1a）～（5a）中的“いる”“있다”“is”“在”“喺”表达的是实词意义，即作为存在动词来使用。而（1b）～（5b）中的“V＋ている”“V＋고 있다”“is＋V-ing”“在＋V”“喺度＋V”表达的是功能意义，是时体标记或时体标记的一部分。

细看例（1）～（5），可以发现许多疑问。例如，同样是存在动词向存在型时体标记的演变，为什么在不同语言中会有不同的语法位置分布？同样是汉语，为什么汉语普通话中可以使用“在＋V”，而粤方言中却不能使用“喺＋V”？

要解答这些问题，就必须对存在动词向存在型时体标记演变的语法化过程进行深入的研究与剖析。本文将在语法化的视角下，从时体意义、语法化路径、与动词的关系等角度，主要对日语与汉语普通话、汉语粤方言中的存在型时体标记进行对比研究，从而来分析其在语法化程度上的差异。

二、先行研究及理论基础

2.1 语法化

Hopper & Traugott（1993）是这样阐释“语法化”这一术语的。

> “语法化”这个术语有两个意思，一个意思涉及一种用来解释语言现象的研究框架，另一个意思则涉及语言现象本身……作为一个涉及研究框架的术语，“语法化”指关于语言演变研究的部分……作为一个涉及实际语言现象的术语，“语法化”在大多数情况下尤其指借以使特殊项因时间的推移而变得更具语法性的演变步骤。
>
> （Hopper & Traugott，1993[梁银峰（译），2008：2]）

作为一种语言现象的“语法化”，在传统的汉语语言学研究中，如沈家煊（1994）中所提到的那样，被称作“实词虚化”。这两种说法的侧重点有所不同。“语法化”更强调语法意义和语法形式的确立；而“实词虚化”更关注语言成分的意义是如何抽象化这一过程的。

本文将在“语法化”的研究视角下，关注日汉存在型时体标记的使用现状及其从存在动词向存在型时体标记的演变路径，进而分析其语法化程度差。

2.2 存在动词及存在型时体标记

某人或某物存在于某处、面向某方向、位移至某处、穿过某通路等一系列表达，全部与空间有关。空间体验是人类的基本身体体验之一，因而空间表达也就成了人类的基本表达之一。于是自空间表达起便产生了一系列探讨，诸如方位说、空间命题的衍生子命题、空间动词的语法化等。

Lyons（1977）提出方位说（localism），指出相较于其他非空间表达而言，空间表达是最基本、最核心的表现。

> Spatial expressions are linguistically more basic, according to the localists, in that they serve as structural templates, as it were, for other expressions; and the reason why this should be so, it is plausibly suggested by psychologists, is that spatial organization is of central importance in human cognition.
>
> （Lyons，1977：718）

于是在各语言中，从空间命题中衍生出了大量的子命题，其应用范围十分广泛。存在动词，是指示某人或某物存在于某空间的动词，是空间动词中的一类重要动词。盧濤（2000：88）中是这样定义"存在动词"的。

> 存在動詞は、存在する主体とその主体が存在する空間との関係を示し、関係的プロセスを表す動詞である。
>
> （盧濤，2000：88）

当存在动词演变成为表达时体意义的时体标记，即为"存在型时体标记"。首次提出"存在型时体"（存在型アスペクト）这一概念的，是金水敏（2006）。金水敏（2006）对日语的存在表达进行了历时的分析与研究，对其自上古语始至现代语止的发展演变进行了十分细致的考察。在该研究的最后一章中，金水敏（2006）提出了"存在型时体"这一概念。

> 日本語は、現在知られている限り、ほとんどの時代、ほとんどの方言において、動的な意味を表す動詞に存在動詞を付加することによってアス

ペクト形式を作り出している。これを一般的に、存在型アスペクト形式と呼んでおこう。

（金水敏，2006：265）

在金水敏（2006）之前，工藤真由美（1995）虽没有明确提出“存在型时体”这一概念，在考察日语的时态时体系统时，已经对日语的“シテイル”“シテアル”进行了十分深入的分析。在工藤真由美（1995）的基础上，益岡隆志（2019）对日语存在型时体标记的形式与意义联结方式进行了考察，指出“シテイル”“シテアル”作为存在型时体标记，在意义上可以分为构成意义和派生意义。构成意义，是其时体意义的核心意义，日语中主要为进行体意义和结果体意义；而派生意义，是从构成意义中衍生出来的意义，日语中主要为从进行体意义中衍生出来的反复体意义以及从结果体意义中衍生出来的达成体意义。其关系如下图所示。

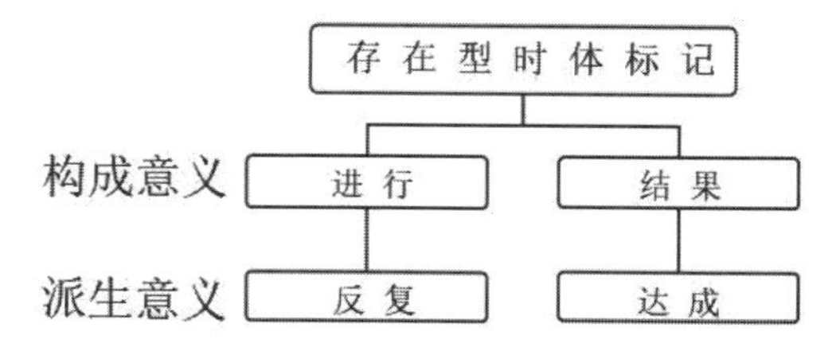

图1 日语存在型时体标记的形式与意义联结（基于益岡隆志2019总结而成）

存在动词向存在型时体标记的演变，是十分符合认知语言学所主张的“具象的な概念領域から抽象的な概念領域への拡張”（山梨正明，2000：6）、“場所・空間の表現は、時間の概念へ拡張されていく”（山梨正明，2000：159）等认知规律的，即具象的空间表达会扩张进入抽象的时间表达之中。

在进行进一步的分析之前，笔者认为，由于“存在型时体”这一概念是日本语言学者在对日语进行研究时，根据日语语言事实而提出的。因此在将这一概念引入日外语言对比研究前，有必要再次阐释其定义。

时体研究的是动作、事件的内部时间。存在型时体，是从时体标记的语法化溯源角度而非时体范畴角度，对时体标记进行的分类。当一种语言中存在着多个不同的时体标记时，根据对其进行语法化溯源后的结果，可以将这些时体标记分为存在型时体标记及非存在型时体标记。存在型时体标记，是由存在动词演变而来的、表达时体意义的语法标记。

而对于时体标记，在不同的语言中，如方光焘（1990：49）[②]所指出的那样，有着不同的形态。因此在进行不同语言间的存在型时体标记对比研究时，对于时体标记的认定，笔者主张从时体意义而非传统形态学角度出发，即不拘泥于传统形态学对时体标记的限制。

本文的研究对象为日语的“シテイル”“シテアル”、汉语普通话的“在+V”及汉语粤方言的“喺度+V”。现有的先行研究，主要集中在单独对日语或汉语一种语言中的存在动词语法化现象进行研究与分析，日汉对比研究及方言研究甚少，这也是进行该研究的背景之一。

三、日语及汉语中的存在型时体标记对比研究

3.1 时体意义

呉婷（2020）在工藤真由美（1995：43）的日语扩大化时体・时态系统、陈前瑞（2008：271）的四层级体貌系统、彭小川（2010：10）的“普通话与广州话体貌范畴比较表”的基础上，对日语、汉语普通话、汉语粤方言的时体系统进行了整合，具体如表1所示。

表1 日语、汉语普通话与汉语粤方言的时体范畴表

时体范畴			日语	汉语	
				普通话	粤方言
典型范畴	1	完成体	スル シタ		
	2	进行体	シテイル シテイタ	在+V V着	V紧 喺度+V

	3	结果体	シテイル シテイタ シテアル シテアッタ		V着	V住 V紧
	4.1	存续达成体	シタ	シテイル シテイタ	V了1 V了3	V咗
	4.2	经历达成体	シタコトガアル シタコトノアル	シテアル シテアッタ	V过	V过
非典型范畴	5	反复体	スル シタ シテイル シテイタ		V了又V 及其变体 在+V V着	V紧 喺度+V V开1（反复-惯常体）
	6	将行体			将要/将/ 要V	就嚟V
	7	起始体	シハジメル		V起来/开	V起上嚟/起身
	8	终结体	シオワル			
	9	继续体	シツヅケル		V下去	V落去
	10	回复体				V翻
	11	始续体				V开2

从表1中，可以看出，日汉存在型时体标记的分布范围是不一样的。

在日语中，“シテイル”可以用在进行体、反复体、结果体和达成体中，“シテアル”可以用在结果体和达成体中。

（6）シテイル

进行体：棚の上のテレビが歌をうたっ**ている**。

（汉日对译语料库[3]『青春の蹉跌（原文）』）

反复体：この頃、ここでよく人が死ん**でいる**。

（据工藤真由美 1995：39 例句修改而成）

结果体：なかなかしゃれた服を着**ている**。

（汉日对译语料库『あした来る人（原文）』）

达成体：会っ**ている**？だれだい？（汉日对译语料库『あした来る人（原文）』）

（7）シテアル

结果体：翌日学校へ行って、一時間目の教場へ這入ると団子二皿七銭と書い**てある**。（汉日对译语料库『坊ちゃん（原文）』）

达成体：わたし、大森の川辺さんから御紹介していただい**てある**かと思うんですが。（汉日对译语料库『あした来る人（原文）』）

在汉语普通话中，“在＋V”可以用在进行体、反复体中；在汉语粤方言中，“喺度＋V”同样如此。

（8）在＋V

进行体：我能猜出他们**在**说什么。（汉日对译语料库《插队的故事（原文）》）

反复体：鸡**在**死。（劉綺紋，2006：299）

（9）喺度＋V

进行体：当时参加唱片公司嘅春茗，推门就见到三位巨星**喺度**锄大Dee。

（网络资料 香港文匯報）

反复体：我老婆日日**喺度**蒸桑拿，等我都试下先。（网络资料 谷歌搜索）

日汉存在型时体标记与所表达的时体范畴的关系如下表2所示。

表2 日汉存在型时体标记与时体范畴的关系

语言		存在動詞	存在型时体标记（按时体范畴分布）			
			进行体	反复体	结果体	达成体
日语		いる	シテイル	シテイル	シテイル	シテイル
		ある			シテアル	シテアル
汉语	普通话	在	**在**＋V	**在**＋V		
	粤方言	喺	**喺**度＋V	**喺**度＋V		

从表2中可以看出，与存在型时体标记关联更为密切的是进行体以及从进行体中派生出来的反复体；在时体范畴的分布上，日语存在型时体标记的分布范围更为广泛。

3.2 语法化路径

3.2.1 日语存在动词的语法化路径

金水敏（2006）对日语存在动词的语法化问题进行了深入研究。根据金水敏（2006），从上古到近代，日语存在动词主要经历了（一）（二）的语法化过程：

（一）上古～中世纪：存在动词“あり”以及主体动作主体姿势变化动词“ゐる”

从上古到中世纪，作为存在动词被广泛使用的，是“ある”的前身“あり”。

（10）安乎尔与之（アヲニヨシ） 奈良尔安流伊毛我（ナラニアルイモガ） 多可々々尔（タカタカニ） 麻都良牟許己呂（マツラムココロ）

之可尔波安良司可（シカニハアラジカ）

あをによし 奈良に**ある**妹が 高々に 待つらむ心 然にはあらじか

（『万葉集・十八・四一〇七』）

当时，“いる”的前身“ゐる”，是一个表示姿势变化的动词，表示的是与“立つ/站”相对的“すわる/坐”“とまる/停”等含义，在特定的场合能表示“座っている/坐着”“止まっている/停止”的含义。

（11）三埼廻之（ミサキミノ） 荒礒尔縁（アリソニヨスル） 五百重浪（イホヘナミ） 立毛居毛（タチテモゐテモ）

我念流吉美（アガモヘルキミ）

み崎廻の荒礒に寄する　五百重波 立ちても**居**ても 我が思へる君

（『万葉集・四・五六八』）

之后，“ゐる”在使用中逐渐出现状态化的用法，并出现“ゐたり”这样的形式，其意义进一步抽象化，表达“滞在する/滞留”“留まる/停留”的意思。在现代日语中依然可以一窥这种用法的痕迹。例如，在日本神社前经常可以看到名为“とりい/鸟居”的建筑物，这个单词所表达的，就是“そのところに鳥が止まる/鸟儿停留于此处”之意。

（二）中世纪～近代：“いる”的确立以及“シテイル”“シテアル”间的竞争

“ゐたり”这一形式的出现，对“ゐる”从姿势变化动词演变成存在动词而言，是十分重要的。“ゐたり”形逐渐发展为“いたる”形，在15世纪～16世纪的文献中，存在两个“いた”。根据金水敏（2006）的考察，其中一个是自古就有的、从古形中变化而来的形式，另一个则是从“いたる→いた”演变而来的。后者的出现，是存在动词“いる”确立的前奏。

（12）只舜ノイラル、処ハ成聚成邑成都デ人ガアツマルホドニ（《史記抄・二》）

与此同时，在 15～16 世纪已经出现了“シテアル”形。起初“シテアル”形的主语包括生物与非生物。在近代，随着存在动词“いる”的确立和“シテイル”形的出现，日语存在型时体标记“シテイル”形和“シテアル”形两者之间，也出现了用法上的区别。前者的主语主要为生物，而后者的主语主要为非生物。近代之后，“シテイル”的使用范围不断扩大，“シテアル”的使用范围也随之缩小。

金水敏（2006）的研究，对日语存在动词的语法化问题而言，是非常有价值的研究。

直至今日，日语存在型时体标记的语法化进程仍在继续，然而目前对这方面的考察并不多。因此笔者在搜集、整理、统计语料的基础上，对近现代日语存在型时体标记的语法化问题进行了探讨，即以下（三）。

（三）现代日语中存在型时体标记的语法化倾向：“イ抜き/イ省略”现象

当前，日语存在型时体标记的语法化进程依然持续着，其主要表现为“イ抜き/イ省略”（下面简称“イ省略”）现象。“イ省略”现象，顾名思义，指的就是在使用时省去“イ”不说的情况。益岡隆志・田窪行則（1992：173-174）曾经指出，イ省略现象的本质是一种语言的减缩现象，语言减缩一般发生在口语交流的单词和语句之中，根据方言和交际场合的不同会出现不一样的表现。

イ省略现象，主要发生在以“シテイル”为主的、包含“イ”的存在型时体标记中，包括“シテイル・シテル”、过去形“シテイタ・シテタ”、一般否定形“シテイナイ・シテナイ”、过去否定形“シテイナカッタ・シテナカッタ”。在现代日语中，以“シテイル・シテル”为例，“シテイル”跟“シテル”的混用现象并不罕见。

（13）克平と喧嘩し**てる**んです。お父さま、心配して、東京へ早く帰らせようと思っ**ている**んです。（汉日对译语料库『あした来る人（原文）』）

（14）博物の教師は第一教場の屋根に烏がとまっ**てる**のを眺め**ている**。

（汉日对译语料库『坊ちゃん（原文）』）

例（13）和（14）都在句中同时使用了“シテル”和“シテイル”，不难发现“シテル”更偏向于口语，而“シテイル”更偏向于书面语。

为了考察“イ省略”现象自 20 世纪初至今是如何发展的，笔者搜集、整理了自 20 世纪初起、共计 42 部小说及电影作品的 2413 条对话语料，以 10 年为一年代，每个年代最少包括 150 条语料。

语料来源：20 世纪初到 20 世纪 20 年代的对话语料，主要以小说对话为主；20 世纪 30 年代的语料主要来自当时的小说对话以及当时无声电影中的字幕对话；20 世纪 40 年代之后的语料主要来自该年代的电影对话。语料搜索整理方法：小说语料主要来自汉日对译语料库中的日语小说，搜索关键词为表示对话的方括号「**」；电影台词主要参考电影字幕并根据实际电影播放声音进行转写而得。

统计结果如下表 3：

表 3 20 世纪初至今各年代的“イ省略”现象

时间	作品数目	A	B	C	D	E	F	共计
		Aシテイル	Bシテル	Cシテイタ	Dシテタ			
		Eシテイナイ・シテイナカッタ			F シテナイ・シテナカッタ			
20世纪初	4	76	57	32	3	6	1	175
20世纪10年代	4	105	17	37	4	12	2	177
20世纪20年代	1	150	43	51	13	13	0	270
20世纪30年代	2	9	99	1	38	1	7	155
20世纪40年代	6	13	156	6	31	0	8	214
20世纪50年代	7	17	128	10	23	1	16	195
20世纪60年代	3	7	132	9	43	1	11	203
20世纪70年代	2	19	114	6	37	0	9	185
20世纪80年代	4	29	96	16	33	1	3	178
20世纪90年代	3	30	162	11	27	3	22	255
21世纪初	3	23	80	12	37	0	12	164
21世纪10年代	3	43	114	28	31	3	23	242
共计	**42**	**521**	**1198**	**219**	**320**	**41**	**114**	**2413**

由于所得语料中一般否定形“シテイナイ・シテナイ”以及过去否定形“シテイナカッタ・シテナカッタ”的语料数目较少，因此以下分析，主要围绕“シテイル・シテル”和过去形“シテイタ・シテタ”展开。

在共计 42 部作品中，有 2 部作品既没有使用“シテイル”，也没有使用“シテル”。除此之外，只使用“シテイル”形的作品有 2 部，占比 5%；只使用“シテル”形的作品有4部，占比10%；两者混用的作品有34部，占比85%。另一方面，有4部作品既没有使用“シテイタ”，也没有使用“シテタ”。除此之外，只使用“シテイタ”形的作品有7部，占比18.4%；只使用“シテタ”形的作品有8部，占比21.1%；两者混用的作品有23部，占比60.5%。具体如图2所示。

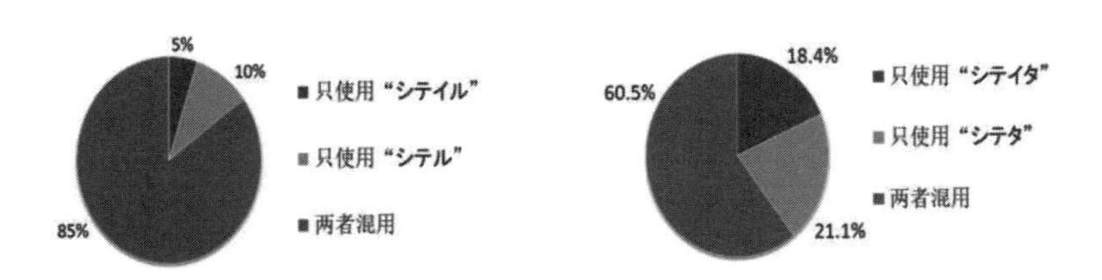

图2 作品中“シテイル”“シテイタ”的“イ省略”情况

由于语料主要来自小说和电影，而每部作品所得语料数目不一，因此本次分析中虽然各个年代所得语料数量不一，但是各年代的语料数量都在150条以上。从各年代的语料中，可以分析出“イ省略”现象发生的比例及其变化情况，具体如图3所示。

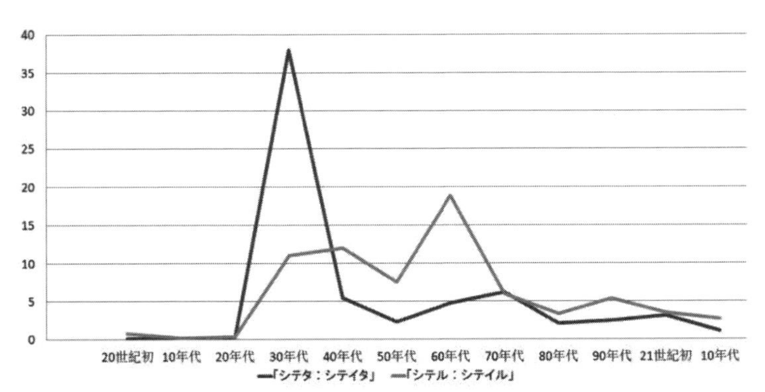

图3 20世纪初至今各年代“シテタ：シテイタ”“シテル：シテイル”比例变化

从表3、图2及图3中，可以得知：

第一，イ省略现象，比起“シテイタ”形，在“シテイル”形上发生得更加广泛。如图3所示，浅色线代表“シテル:シテイル”，深色线代表“シテタ:シテイタ”，除了20世纪30年代以外，浅色线基本上都位于深色线的上方。这也跟图2中反映出来的结果相一致。

第二，イ省略现象，在20世纪30年代起发展十分迅速。对于イ省略现象发生的时间，根据现有的统计结果，这种现象在20世纪初的作品中已经出现，自20世纪30年代起开始快速发展。语言的发展变化与社会的发展变化有着密切的关系。中村通夫（1953）曾指出在1923年的关东大地震之后，为了重振经济，各地人口开始大量向首都移动，同时往东京地区带入了大量的方言元素。随后东京地区社会新阶层的出现，让不同人群之间出现语言使用上的区别，并最终引起了语言的变化。例如自1928年起，东京新上流阶层的知识分子在口语中开始使用“ラ抜き/ラ省略”这一表达，此后这种表达用法开始慢慢流行并普及开来。虽然“イ省略”现象和“ラ省略”现象的表现和发生机制有所不同，然而笔者认为关东大地震作为一次重大的自然灾害，给日本带来的社会变动和人口移动，对“イ省略”现象的使用和传播产生了一定的影响。

在现代日语中，“シテイル・シテル”“シテイタ・シテタ”“シテイナイ・シテナイ”“シテイナカッタ・シテナカッタ”等形式都处于两者混用并存的阶段。这种混用并存的状态，在今后会继续长期存在。新旧两种形式的混用并存阶段，对于语法化而言是一个非常重要的阶段。Hopper（1991）及沈家煊（1994）都曾总结语法化的相关规律原则。其中非常重要的一条就是“并存原则”（layering），即“一种新形式出现后，旧形式并不立即消失，新旧形式并存”（沈家煊，1994：19）。而在今后的使用中，这种混用并存的现象会继续发生变化。根据“择一原则”（specialization），即“能表达同一语法功能的多种并存形式”（沈家煊，1994：19）会在今后的使用中经历筛选和淘汰，最后这两种用法到底是在语用和语义上逐渐分化开来，还是其中一方被另一方渐渐取代，是非常值得继续观察下去的语言现象。

3.2.2 汉语普通话存在动词的语法化路径

汉语普通话中，“在”的用法主要有三个：存在动词、介词、时体标记。对于时体标记“在”的产生，张亚军（2002）、于理想（2014）、鞠志勤（2016）等都对其进行过研究。参考这些先行研究，存在型时体标记“在”的语法化路径主要可以分为以下四个阶段。本小节所使用的例句，主要检索自古代汉语语料库[4]。

（一）存在动词“在”及其动词项的抽象化

“在”是一个古老的动词，早在商代甲骨文中，就出现了以下的句子。

（15）王**在**兹。（《甲骨文合集释文：00816》）

（16）其求**在**父甲。（《甲骨文合集释文：27370》）

（17）令吴省**在**南廪。（《甲骨文合集释文：9638》）

在《说文解字》中，有“在，存也。”的说明。因此“在”的原义，是表示存在的实词（例 15）。“存在”这一意义，跟“切”“踢”等表示具体动作的动词不同，与空间的关联非常密切。“空间”是无法触碰、无法分割的一种存在，受此影响“在”的意义也出现了一定的变化。这种变化扩大到动词项中，就使得宾语和主语都出现了一定程度的范围扩张。例如，宾语从现实的某处扩张到某人（例 16）；主语从具体的某人抽象为某件事（例 17），而例（17）的用法也成为“在”介词化的前奏。

（二）存在动词与介词“在”的混用及介词“在”的确立

在周朝，“在”已经出现了动词和介词的使用区别。

（18）鱼**在在**藻，有颁其首。王**在在**镐，岂乐饮酒。（《诗经・小雅・鱼藻》）

例（18）“鱼在在藻”“王在在镐”中的两个“在”，前者为存在动词，后者为介词。这种混用用法，是这一阶段的重要标志。在后来的仿古诗中，也有诗人模仿这一用法进行写作，如南北朝沈约《梁三朝雅乐歌雍雅三》中有“百司警列，皇在在陛”的句子。

先秦时，出现了“在+时间”“V+在+处所”“在+处所+V”等用法。

（19）**在**十有二月，惟周公诞保文武受民。（《尚书・洛诰》）

（20）禹往见之，则耕**在**野。（《庄子・天地》）

（21）子**在**川上曰：逝者如斯夫，不舍昼夜。（《论语・子罕》）

（三）与“正”的连用

后来，与“正”的连用也出现了。“正”和“在”的连用，并不是一种偶然。根据《甲骨文字典：146》，“正”是“征”的古字，在甲骨文之中有“王来正人方”的记载，其字形为人足往城池移动的过程。后来，“正”字发展出了“位置在中间（跟“侧”“偏”相对）”“用于时间，指正在那一点上或在那一段的中间”（《现代汉语词典（第 7 版）》：1670）的意义。“正”和“在”的连用，反映的是空间域往时间域的投射与扩张。从某处（例 22“眼睛”）、某种样子（例 23“发怒的模样”），到某种心理状态（例 24“迷惑”），于唐朝敦煌变文中首次出现“正在+V”的用法（例 25），然而这一用法在后来的书面语中并没有广泛应用的痕迹。

（22）四体妍媸本亡关乎妙处,传神写照**正在**阿堵**中**。（《历代名画记》）

（23）君相**正在**怒**中**，后当贵极人臣。（《广异记》）

（24）彼之迷人，**正在**迷**时**，倏有悟人，指示令悟。（《楞严经》）

（25）如云急过，似鸟奔飞，**正在**商量，已却归殿。（敦煌变文）

之后出现了“在+状态”（例26）、“在+心理动词”的用法（例27）。

（26）十月十四日以病**在**告独酌 （《十月十四日以病在告独酌》）

（27）入城定何时，宾客半**在**亡。（《湖上夜归》）

在口语方面，从10世纪末宋朝起，随着经济的发展和市民生活水平的提高，民间开始流行“话本”小说。同时佛教高僧特意使用简单明了的话语来向市民传播教义，这些话语以语录的形式流传了下来。从话本和语录中，还可以看到口语中使用“这里/那里”取代了“此/彼”。

（28）师便喝云。许多秃子。**在这里**觅什么碗。（《临济语录》）

在后来的实际使用中，“在这里/那里+V”中“这里/那里”的意义逐渐发生了虚化，指的已经不再是眼前较近/较远的真实空间。

（29）这个物事要得不难。如饥之欲食，渴之欲饮，如救火，如追亡，似此年岁间，看得透，活泼泼地**在这里**流转，方是。（《朱子语类》卷八）

（30）如自家欲为善，后面又有个人**在这里**拗你莫去为善；欲恶恶，又似有个人**在这里**拗你莫要恶恶，此便是自欺。（《朱子语类》卷十六）

（31）苍苍之谓天。运转周流不已，便是那个。而今说天有个人**在那里**批判罪恶，固不可；说道全无主之者，又不可。（《朱子语类》卷一）

此时的“在这里/那里+V”依然可以跟“正”连用，引发了后来“正在这里/那里+V”“正在+V+之际”“正在+V”等多种连用结构的出现和使用强化，为汉语存在型时体标记“在+V”的确立埋下了伏笔。

（四）存在型时体标记的确立

在明清小说中，可以看到“在+V”形式已经得到了确立。

（32）敢**在**做梦也。（《牡丹亭》）

（33）你一个男子人，如今又戴上纱帽**在**做官哩。（《醒世姻缘传》）

（34）太太起先因他一夜不回，还**在**闹气。（《官场现形记》）

“在”的“存在动词→介词→时体标记”这一语法化过程，并不是旧意义取代新意义，而是从基本义中不断发展出新意义的一个过程。在这其中，“在”跟“正”的连用起到了非常重要的作用，正是这种用法让“在”得以从与处所名词连用的介词用法中独立出来，并最终发展成为时体标记。

3.2.3 汉语粤方言存在动词的语法化路径

粤方言中，“喺”的用法主要为存在动词与介词，在时体表达方面，“喺”与“在”不同，并不是一个独立的标记，而是主要以“喺度”的形式与动词连用。本小节主要探讨为什么会出现这样的区别。

粤方言现存较早的资料，都为 19 世纪以后的资料，主要为当时天主教传教士所用的粤语教材以及翻译成粤语的宗教书籍。本小节所使用的分析语料，主要来自早期粤语标注语料库[5]、早期粤语口语文献语料库[6]、香港二十世纪中期粤语语料库[7]等，前两个语料库收录的书籍有重复[8]。

整理 19 世纪至 20 世纪初的近代资料 14 册，所得结果如下。

表 4 近代粤方言资料中“喺”的意义分布

时间	书名	动词	介词		准时体标记
			V+~N	~N+V	喺（~）处[9]
1828	*Vocabulary of the Canton Dialect*	12	5	5	0
1883	*Cantonese Made Easy (1st edition)*	2	0	0	0
1841	*Chinese Chrestomathy in the Canton Dialect*	11	0	3	1
1872	馬可傳福音書 （廣東土白）	34	0	79	2
1877	散語四十章	10	0	20	0
1877	*Easy Phrases in the Canton Dialect of the Chinese Language (2nd Edition)*	5	0	5	1
1888	*Cantonese Made Easy (2nd edition)*	1	1	0	0
1888	*A Chinese and English Phrase Book in the Canton Dialect*	20	9	17	0
1899	*The Gospel according to St. Mark in English and Cantonese*	32	0	78	2
1902	*How to Speak Cantonese (2nd Edition)*	39	5	48	3
1907	*Cantonese Made Easy (3rd edition)*	21	0	5	0
1912	*How to Speak Cantonese (4th Edition)*	37	8	55	3
1924	*Cantonese Made Easy (4th edition)*	26	0	7	0

1931	*Progressive and Idiomatic Sentences in Cantonese Colloquial*	23	5	34	0
	合计	273	33	356	12

在近代资料中，经常出现的用法是“喺（～）处”，该用法在某些特定例句中可以表达一定的时体意义。例如：

（35）耶穌心中，忽然知到有奇能**喺**自己**處**出……

（《馬可傳福音書（廣東土白）》第五章第三十节）

Immediately Jesus, perceiving in Himself that the power proceeding from Him had gone forth …　（*New American Standard Bible*: Mark 5.30）

（36）你**喺處**做乜野（*Easy Phrases in the Canton Dialect* Lesson 6 No.22）

有一点值得注意的是，跟普通话中意义已经抽象化的“在这里/那里+V”相比，粤方言中使用得更多的不是与之相对应的“喺哩处/嗰处+V”，而是省略了表示空间远近的“哩/嗰”，保留处所词“处”。

另外，在近代资料中还记录了一个非常有意义的句子。

例（37）是一个官话用法和方言用法混杂的句子，从“正在喺處悲哀啼哭”这一混杂着官话与方言表达的小句中，可以看出，在当时的官话中“在”已经从介词用法中得到一定程度的解放，而粤方言的“喺”在形式上依然被制约在与处所名词连用的结构里。

（37）平日共耶穌同伴嘅人，**正在喺處**悲哀啼哭，呢個女人。

（《馬可傳福音書（廣東土白）》 第十六章第十节）

She went and reported to those who had been with Him, while they were mourning and weeping.（*New American Standard Bible*: Mark 16.10）

随后，从香港二十世纪中期粤语语料库中整理得来的电影对白语料显示，在二十世纪中期，粤方言中“喺道+V”[30]的用法已经出现。

表 5 二十世纪中期粤方言资料中“喺”的意义分布

时间	动词	介词		时体标记
		V+～N	～N+V	喺道+V
1952～1966	127	66	214	9

在二十世纪中期，“喺道”这一形式已经出现了一定程度的固化，其与动词连用，表达一定的时体意义。

（38）你哋成班嘢**喺道**鬼鬼鼠鼠噉做咩呀？

（39）你哋**喺道**傾咩呀？

将汉语普通话的“在＋V”和粤方言中的“喺度＋V”进行比较，就可以发现粤方言中的“喺度＋V”依然处于“在＋V”的前一阶段。“喺”并没有从“喺＋处所名词＋V”这一形式中完全独立出来。粤方言与普通话之间存在的这种语法化进程不一致的现象，论及其原因，笔者认为与粤方言中另一个时体标记“V 紧”有关系。

“V 紧”是当前汉语粤方言中表达进行体及反复体意义的主要时体标记，也是汉语粤方言中独有的一个时体标记。片岡新（2010）（2018）指出，粤方言时体标记“V 紧”的“紧”，表示的是“近”的意思。在 19 世纪有“移动动词+紧+嚟”的说法，表示“向某处（嚟）逐渐移动（V=移动动词）靠近（紧）”的意思。随后，“V 紧嚟”形逐渐发展成为“V 紧”形，与该结构连用的动词范围也在扩大，从只与移动动词连用发展到可以与其他动词连用。也是由于这样，“V 紧”逐渐发展成为粤方言中的进行体标记。由于进行体与反复体之间有着密切的内在关联，“V 紧”同时也发展出了反复体意义。

因此，受到“V 紧”的影响，“喺度＋V”的语法化进程与汉语普通话并不一样。

从以上分析中，可以看出日语、汉语普通话和粤方言的存在型时体标记，有着不一样的语法化路径。

日语的“シテイル”形，从主体动作主体姿势变化动词开始，经历了存在动词的确立，然后才发展成存在型时体标记，并且在此之后还与另一个存在型时体标记“シテアル”不断竞争，目前语法化的进程，即“イ省略”现象依然正在持续，处于带“イ”标记与不带“イ”标记（“シテイル・シテル”“シテイタ・シテタ”“シテイナイ・シテナイ”“シテイナカッタ・シテナカッタ”）的混用并存阶段。

汉语普通话和粤方言中的存在型时体标记，其语法化路径基本都沿着“存在动词→介词→存在型时体标记”的方向发展，然而汉语普通话中“在”与“正”的连用，使得“在”得以从“在+处所名词（这里/那里）＋V”的结构中解放出来；而粤方言中由于“V 紧”形作为时体标记得以发展确立并占据了主体地位，使得已经出现了处所意义虚化的“喺度＋V”依然处于“喺+处所名词（度）＋V”这一结构中。

表6 日语、汉语普通话与粤方言的存在型时体标记语法化路径

日语		汉语普通话	粤方言
シテイル	シテアル	在+V	喺度+V
主体动作主体姿势变化动词“ゐる”			
↓		存在动词	存在动词
“ゐたり”形	存在动词“あり”	↓	↓
↓	↓	介词	介词
“いたる”形	存在动词“ある”	↓	↓
↓	↓	在+处所名词+V	喺+处所名词+V
“いた”形	“シテアル”形	↓	↓
↓	↓	在这里/那里+V	喺（～）处+V
存在动词“いる”的确立	随着“シテイル”形的出现和普及，在两者竞争中，“シテアル”形的使用范围逐步缩小	↓	↓
↓		（与“正”的连用）	（“V紧”的影响）
“シテイル”形的确立		↓	↓
↓		在+V	喺度+V
“イ省略”现象的出现及发展			
当前带“イ”标记与不带“イ”标记正处于混用并存的阶段			

3.3 与动词的关系

例（40）是一位日本学生根据图4 写出的句子。

图4 “王先生在做什么？”（原图来自栗山昌子・市丸恭子 1992：92）

（40）*王先生**在**收款台**在**付钱。

例（40）是一个语法不正确的句子。出现这种误用，是学生受到了母语日语中“……で……をしている”用法的负迁移影响。

日语的存在型时体标记紧跟在动词之后，比起汉语的存在型时体标记，其与动词之间的联系更加紧密。胡壮麟（2003：89）就曾指出在语法化进程中，自动化的过程十分重要。原本独立的两个成分各自舍去某些独有的特征，形成一个临时的组合。这个组合在今后的使用中，或是被淘汰，或是作为一个整体被固定了下来。从自动化的角度来看，“シテイル”“シテアル”中动词词干与“テイル”“テアル”之间的结合更为紧密，整体结构的固定程度更高。也因此，日语的存在型时体标记“シテイル”“シテアル”中的“イル”“アル”几乎已经完全丧失了原有的实词义。

与之相对的，是汉语存在型时体标记与动词的结合较松散，粤方言“喺度＋V”中甚至可以在“喺度”的中间插入某些成分，如例（5）同样的场景，例（41）可以成立：

（41）阿妈**喺**厨房**度**煮饭。

如果将主语从“妈妈”换成“全家”，例（42）可以成立：

（42）全家**喺**晒**度**煮饭。

由此可知，“喺度＋V”中的“喺度”与动词之间的结合最为松散，整体结构的固定程度较低，是一个灵活性较强的组合。

四、结语

存在型时体标记，实质是空间表达从空间领域向时间领域的投射与扩张。这种投射与扩张，与人的认知规律是一致的，因此存在型时体标记广泛地存在于多种不同的语言中，而由于不同语言的使用人群及其社会文化发展存在着差异，不同语言的存在型时体标记之间自然也存在着差别。

从上述分析中，可以得知日语、汉语普通话及粤方言的存在型时体标记之间存在着语法化程度上的差异。日语存在型时体标记的时体范畴分布最广、与动词的联系最为紧密、几乎完全丧失了实词义，语法化程度最高；粤方言存在型时体标记仍未完全从“喺+处所名词（度）＋V”结构中独立、与动词的联系最为松散、保留了相当程度的实词义，语法化程度最低；汉语普通话则介于二者之间。因此，在语法化程度上，有“日语＞汉语普通话＞粤方言”的差异。

附注

1） 本文所分析的汉语粤方言为广府片粤方言。广府片粤方言，是以广州话为中心，广泛使用于广东中部地区、西部地区、北部部分地区、广西东南部以及港澳等地的粤方言次方言。

2） “任何一种语言都有一定的形态，这一点是毫无疑问的。但是应该承认各种语言构成形态的手段并不相同，词形变化是一种语法手段，是形态，词序也是一种语法手段，也是形态。”（方光焘，1990：49）

3） 汉日对译语料库（中日対訳コーパス），由北京日本学研究中心开发，收录汉日对译语料约 2 千万字。

4） 古代汉语语料库，由教育部语言文字应用研究所计算语学研究室开发，收录自周到清古籍语料约 7 千万字。

5） 早期粤语标注语料库，由香港科技大学开发，收录 19 世纪以来粤语文献 10 部。

6） 早期粤语口语文献语料库，由香港科技大学、香港中文大学及北京大学共同开发，收录 19 世纪以来粤语口语文献 7 部。

7） 香港二十世纪中期粤语语料库，由香港教育大学开发，收录 20 世纪广东粤方言电影 21 部。

8） 语料库中收录语料所用文字为繁体中文字，因此，本小节在引用书籍名称和书中例句时，为了与原语料库保持一致，引用部分使用繁体中文字，特注。

9） 书中使用繁体字“喺（～）處”。

10） 在粤方言中，“喺道”和“喺度”的发音相同。在香港二十世纪中期粤语语料库中，使用的文字为“喺道”。

参考文献

陈前瑞 2008. 《汉语体貌研究的类型学视野》，北京：商务印书馆。

方光焘 1990. 汉语形态问题，《语法论稿》44-53，南京：江苏教育出版社。

工藤真由美 1995. 『アスペクト・テンス体系とテクスト―現代日本語の時間の表現―』，東京都：ひつじ書房。

Hopper,P.J. 1991. On some principles of grammaticalizaion. *Approaches to Grammaticalization Volume I Focus on Theoretical and Methodological Issues*. edited by Traugott,E.C.& Heine,B.. 17-36. Amsterdam/ Philadelphia: John Benjamins Publishing Company.

Hopper,P.J.& Traugott,E.C. 1993. *Grammaticalization*. Cambridge: Cambridge University. [梁银峰（译）

2008. 《语法化学说》，上海：复旦大学出版社。]
胡壮麟 2003. 语法化研究的若干问题，《现代外语》第 1 期：85-92。
金水敏 2006. 『日本語存在表現の歴史』，東京都：ひつじ書房。
鞠志勤 2016. 语法化视角下“着”和“在”的差异性分析，《语言教学与研究》第 4 期：75-83。
劉綺紋 2006. 『中国語のアスペクトとモダリティ』，大阪府：大阪大学出版会。
盧　濤 2000. 『中国語における「空間動詞」の文法化研究―日本語と英語との関連で―』，東京都：白帝社。
Lyons,John 1977. *Semantics*. Cambridge: Cambridge University Press.
彭小川 2010. 《广州话助词研究》，广州：暨南大学出版社。
片岡新 2010. 粵語體貌詞尾“緊”的演變和發展，香港中文大學博士論文。
片岡新 2018. 從早期和現代語料看粵語進行體標記“緊”在複句中的功能，《中國語文通訊》第 97 卷第 1 期：133-141。
山梨正明 2000. 『認知言語学原理』，東京都：くろしお出版。
沈家煊 1994. “语法化”研究综观，《外语教学与研究》第 4 期：17-24+80。
呉　婷 2020. 日本語と中国語の存在型アスペクトに関する対照研究―シテイルを基本に―，関西外国語大学博士論文。
益岡隆志・田窪行則 1992. 『基礎日本語文法―改訂版―』，東京都：くろしお出版。
益岡隆志 2019. 日本語の存在型アスペクト形式とその意味，岸本秀樹・影山太郎（編）『レキシコン研究の新たなアプローチ』113-133，東京都：くろしお出版。
于理想 2014. 浅析时间副词“在”的语法化，《现代语文（语言研究版）》56-60。
张亚军 2002. 时间副词“正”“正在”“在”及其虚化过程考察，《上海师范大学学报（哲学社会科学版）》第 1 期：46-55。
中村通夫 1953. 「来れる」「見れる」「食べれる」などという言い方についての覚え書，『金田一博士古稀記念言語・民俗論叢』579-594，東京都：三省堂。

语料库

古代汉语语料库：http://corpus.zhonghuayuwen.org/ACindex.aspx

日汉对译语料库/日中対訳コーパス

香港二十世紀中期粵語語料庫：https://corpus.eduhk.hk/hkcc/

早期粤語標註語料庫：http://database.shss.ust.hk/Cantag/

早期粤語口語文献資料庫：http://database.shss.ust.hk/Candbase/

历史资料

〔汉〕许慎《说文解字》[〔汉〕许慎（撰）〔宋〕徐铉（校定） 2013.《说文解字（附音序、笔画检字）》，北京：中华书局。]

胡厚宣（编） 1999.《甲骨文合集释文》，北京：中国社会科学出版社。

徐中舒（编） 2006.《甲骨文字典》，成都：四川出版集团 四川辞书出版社。

中国社会科学院语言研究所词典编辑室 2016.《现代汉语词典（第7版）》，北京：商务印书馆。

佐竹昭広・山田英雄・工藤力男・大谷雅夫・山崎福之（校注） 2015.『原文万葉集（上）』，東京都：岩波文庫。

佐竹昭広・山田英雄・工藤力男・大谷雅夫・山崎福之（校注） 2016.『原文万葉集（下）』，東京都：岩波文庫。

网络资料

谷歌搜索：https://www.google.com/ （20180324）

（例句： https://www.facebook.com/chimanalbert/posts/2358411460910557/ （20191220））

New American Standard Bible:

https://www.sermoncentral.com/bible/new-american-standard-bible-nasb/ （20200330）

史記抄19卷：https://rmda.kulib.kyoto-u.ac.jp/item/rb00008022 （20200330）

香港文匯報：http://www.wenweipo.com/ （20180324）

（例句：http://paper.wenweipo.com/2019/03/31/EN1903310004.htm （20191217））

图像资料

栗山昌子・市丸恭子 1992.『初級日本語ドリルとしてのゲーム教材50』，東京都：アルク。

电影资料（按时间顺序排列）

『大人の見る繪本　生れてはみたけれど』1932. 小津安二郎監督、松竹キネマ製作・配給。

『安城家の舞踏会』1947. 吉村公三郎監督、松竹製作・配給。

『素晴らしき日曜日』1947. 黒澤明監督、東宝製作・配給。

『夜の女たち』1948. 溝口健二監督、松竹製作・配給。

『お嬢さん乾杯』1949. 木下恵介監督、松竹製作・配給。

『野良犬』1949. 黒澤明監督、新東宝・映画芸術協会製作、東宝配給。

『晩春』1949. 小津安二郎監督、松竹製作・配給。

『カルメン故郷に帰る』1951. 木下恵介監督、松竹製作・配給。

『カルメン純情す』1952. 木下恵介監督、松竹製作・配給。

『お茶漬の味』1952. 小津安二郎監督、松竹製作・配給。

『日本の悲劇』1953. 木下恵介監督、松竹製作・配給。

『山の音』1954. 成瀬巳喜男監督、東宝配給。

『遠い雲』1955. 木下恵介監督、松竹製作。

『喜びも悲しみも幾歳月』1957. 木下恵介監督、松竹製作。

『秋日和』1960. 小津安二郎監督、松竹製作・配給。

『秋刀魚の味』1962. 小津安二郎監督、松竹製作・配給。

『乱れ雲』1967. 成瀬巳喜男監督、東宝製作・配給。

『どですかでん』1970. 黒澤明監督、四騎の会・東宝製作、東宝配給。

『ある映画監督の生涯 溝口健二の記録』1975. 新藤兼人監督、近代映画協会製作、ATG 配給。

『駅 STATION』1981. 降旗康男監督、東宝製作・配給。

『海峡』1982. 森谷司郎監督、東宝製作・配給。

『ブラックボード』1986. 新藤兼人監督、地域文化推進の会・電通製作、近代映画協会配給。

『落葉樹』1986. 新藤兼人監督、丸井工文社製作、近代映画協会配給。

『八月の狂詩曲』1991. 黒澤明監督、黒澤プロダクション・フィーチャーフィルムエンタープライズ製作、松竹配給。

『静かな生活』1995. 伊丹十三監督、東宝配給。

『スーパーの女』1996. 伊丹十三監督、伊丹プロダクション製作、東宝配給。

『十五才 学校 IV』2000. 山田洋次監督、松竹・日本テレビ放送網・住友商事・角川書店・博報堂製作、松竹配給。

『仄暗い水の底から』2002. 中田秀夫監督、東宝配給。

『母べえ』2008. 山田洋次監督、「母べえ」製作委員会製作、松竹配給。

『わが母の記』2012. 原田眞人監督、「わが母の記」製作委員会製作、松竹配給。

『ルパン三世』2014. 北村龍平監督、「ルパン三世」製作委員会製作、東宝配給。

『残穢―住んではいけない部屋―』2016. 中村義洋監督、2016「残穢―住んではいけない部屋―」製作委員会製作、松竹配給。

现代汉语形容词重叠式的主观性与主观化的认知分析*
——以完全重叠式 AA 和 AABB 式为中心

王安

（法政大学）

摘要: 本文从已有研究的问题点出发，借鉴认知语法学派所倡导的主观化理论（Langacker1990，1991，2008），探讨现代汉语形容词重叠式语法意义和功能的核心特征以及演化趋势。本文指出形容词重叠式的语义和功能的核心在于改变观察主体（说话人）与客体之间的关系，将之从客观轴调整到主观轴，标明观察主体（说话人）对言语场景的介入，是汉语实现主观化的一种形态手段，这也是形容词重叠式主观性的本质所在。

关键词: 形容词重叠式；语义和功能；主观化；主观性；认知分析

一、引言

现代形容词重叠式[①]的语义和功能在汉语语法学界一直是一个备受关注的问题，并且在历时与共时层面的研究中都已取得了诸多成果（如：王力 1943，朱德熙 1956、1982，沈家煊 1995，石毓智 1996，李宇明 1996、1997，张敏 1997，郭锡良 2000，朱景松 2003，张国宪 2006、2007，石锓 2010，郭锐 2012，姚振武 2015，李劲荣 2004，2014，李劲荣、陆丙甫 2016）。上述成果虽然研究角度和方式各有所异，但对形容词重叠式的基本语义和功能已达成以下共识：第一，从历时平面上看，形容词重叠式产生的动因是摹状绘景的语用需要；从共时的角度来看，摹状绘景的语句也多采用重叠式，因而其基本功能就是绘景(描写)和摹状(王力 1943，吕叔湘 1980，石锓 2010，李宇明 1996，李劲荣 2014)；第二，重叠式具有调量功能(朱德熙 1956，石毓智 1996，张敏 1997，朱景松 2003，张国宪 2006、2007, 李 2014, 李劲荣、陆丙甫 2016)。不过，在此存在“减量”“增量”“足量”“定量”等不同甚至是对立的认识；第三，具有凸显主观性的功能，但是对具体怎

* 本研究得到了日本文部省科学研究费「感情表現の構文パターンと感情の捉え方の認知類型的実証研究：日韓中英仏独語を対象に」（基盤研究 C，課題番号 16K02677）的资助。本文初稿曾在第十届现代汉语语法国际研讨会会议上（2019 年 10 月 25-27 日本大阪）宣读，得到与会专家的建议，谨致谢忱。此外，本文在修改过程中得到神户市外国语大学中国学科任鹰教授的宝贵意见和指摘，在此表示由衷的感谢。

样“凸显”，已有研究的看法各不相同。

在上述共识的基础上，李劲荣(2014)及李劲荣、陆丙甫(2016)对形容词重叠式的语用功能作了进一步的考察，分析了形容词可否重叠的具体依据以及采用重叠式的制约条件。李劲荣(2014)指出知觉类形容词大多不能或不易重叠，并认为现场性是制约重叠式使用的要因，形容词采用重叠式须以现场性为依托，以出现于事件句为前提。然而，通过语料调查我们发现知觉类形容词在语料中有大量的重叠用例，同时在语料中我们也找到了很多用于非现场性或非事件性语境的形容词重叠式用例。此外，已有研究中多次提及的重叠式所具有的调量功能及对主观性的凸显究竟应该如何定性，对此为何会有诸多不同甚至完全相反的认识，也是尚未解决的问题之一。对上述问题我们将在下文加以具体分析和讨论。总之，关于形容词重叠式的语法意义及功能，目前还未能形成一个非常明确、一致的认识，因而有必要进一步考察和讨论。

本文将从已有研究的问题点出发，借鉴认知语法学派所倡导的主观化理论（Langacker1990,1991,2008），探讨现代汉语形容词重叠式语义和功能的核心特征及其演化趋势。具体而言，本文主要着眼于共时层面，集中阐述以下两个方面的内容：

1. 运用主观化理论，揭示现代汉语形容词重叠式的语义和功能的核心在于改变观察主体与客体(客观情景或描写对象)之间的关系,将之从客观轴调整到主观轴,体现了主观识解的概念化过程，是汉语实现主观化的一种形态手段，这也是形容词重叠式主观性的本质所在。
2. 通过考察前人所提及的不能或难以重叠的形容词重叠式用例，指出重叠式的主观化程度在不断加深，其语义从具体的描写义逐渐转向基于观察主体（说话人）识解方式的抽象的主观义，其主观化功能及主观性程度都在不断增强。

为了便于集中讨论问题，本文的讨论对象主要限于形容词的完全重叠式(AA、AABB式)的谓语用法，而对 ABB、ABAB 等非完全重叠式，以及重叠式的定语、状语用法，我们将作为今后的研究课题，本文暂不讨论。

二、先行研究及其主要问题点分析

前已述及，目前对形容词重叠式的语义和功能争议较多的问题主要集中在：重叠式具体描写的是什么；对主观性的凸显又具体体现在哪些方面。为便于理清问题，我们先将已有研究的主要观点加以分类并梳理如下：1 主张重叠式表量或程度(朱德熙 1956，石疏智 1996，张敏 1997，朱景松 2003，张国宪 2006，李劲荣 2014，李劲荣、陆丙甫 2016)。但是，如前所述，在此存在增量、减量、定量、足量、显量等不同甚至相反的观点；2 主张重叠式表状态或场景(王力 1943，朱德熙 1956，吕叔湘 1980，郭锡良 2000，朱景松 2003，张国宪 2006，李劲荣、陆丙甫 2016)，认为重叠式的功能是用来描写或再现事物的状态，重叠式的描绘功能是在具体的事件场景中体现的(李劲荣、陆丙甫 2016)；3 主张重叠式增强语言表述的主观性，其中，有的研究主张表达说话人的主观评估或感情色彩(朱德熙 1956，1982，张敏 1997，郭锡良 2000，朱景松 2003，李劲荣、陆丙甫 2016)，有的研究则指出重叠式具有激发主体显现状态的能动性(朱景松 2003)，或凸显说话人的主观表达意图(李劲荣 2014，李劲荣、陆丙甫 2016)等作用。还有一些研究综合了上述三个观点。为了便于后文的讨论，以下我们将这三个问题简称为“调量问题”，“再现性、现场性问题”及“主观凸显问题”。

此外，沈家煊(1995)、张国宪(2006，2007)从认知的角度分析了重叠式的语义和功能，指出重叠式与其基式的差异在于二者所体现的认知方式不同。首先，沈家煊(1995)认为人类的认知方式有“有界/无界”的区别,性质和状态两类形容词的存在正是“无界”与“有界”的差异的体现。张国宪(2006)则主张性质形容词和状态形容词捕捉的概念内容是相同的，两者的区别在于扫描方式的不同。性质形容词在总括扫描(summary scanning)中识别事物的整体，表示抽象的概念的属性，而状态形容词以次第扫描(sequential scanning)的认知方式识别表述对象，所以一般会有时间背景。

针对上述观点，我们提出以下质疑及主张：

首先，我们认为重叠式所具有的表量、表程度或状态的语义及其凸显主观性的功能本质上是密切相关的，对之不能割裂开来加以分析。简单地说，所述及的都是观察主体（即说话人）对客体（即描写对象，包括人、物、景）的识解过程。在语料调查中，我们看到了许多难以将这几项语义及功能区分开来分析的句子，例如：

（1）他永远是那样瘦瘦的，高高的，永远是那样清清秀秀的，就是外国人的监狱也改变不了他的风度。（CCL）

例(1)是对人物外貌特征的描写，按已有研究的主张，采用重叠式必须有具体场景做依托，应具有现场性和临时性，描写的应是一种临时状态(李劲荣 2014)。然而，我们看到，文中副词“永远”的使用，使得整个语句所描述的事象呈现一种常态化特点，也就是说，例(1)并不具备明显的现场性②和临时性。并且，我们知道人的身高胖瘦等体态特征本身是具有可变性的，本应该与“永远”的修饰有抵触，但通过文脉我们不难解读出文中的“瘦瘦的、高高的、清清秀秀的”与“永远”配合使用，所要表达的是说话人对描写对象“他”的一贯的主观识解，而不是在调量或表状态。这里要说明的是，我们所说的“主观识解”与人们通常所说的“主观估价”“感情色彩”或“话语意图”并不是同一概念。本文所说的主观识解是一种概念化过程，其关键在于观察主体与客体之间的关系的变化及对客体进行识解过程中观察主体介入方式的不同，而非主体的意图或估价的简单呈现。这是一个基于主观化理论的概念，对此我们将在下一节具体说明。请再看一个用例：

（2）... 带给苒青一个无法忍受的疑问：世界为什么会是这样？黑黑的，乱乱的，脏脏的，它本身难道是一个大垃圾场吗？（CCL）

例(2)描写的“世界”可以说是一个模糊、抽象的概念，本身并不存在一个固定的或具体的形态，所以以已有研究所主张的绘景(描写)摹状来解释例(2)的重叠式的功能显然是有些勉强的。此外，不同的观察主体对世界的感受与认识可能是完全不同的，例(2)的重叠式所表达的语义与话中人物“苒青”的主观认知有着密不可分的关系。因此，例(2)的重叠式并非用来再现某种状态或场景，也很难说是对客观事态的“量”或程度的描写，同例(1)一样，例(2)所表达的显然也是观察主体自身对外部世界的识解内容，体现的是观察主体的主观感受。

其次，关于使用重叠式的制约条件，李劲荣(2014)认为只有表具体义的形容词才具有更大的重叠的可能性，并提出知觉类词语③及“和谐”等表抽象义的形容词都不易或不能重叠。然而，我们通过对个人博客的调查，发现李劲荣(2014：66)中所提及的 24 个知觉形容词以及“和谐”等形容词除了“偏”以外，其他形容词都可以找到大量的重叠式用法的语句，在此暂不一一例举、分析，只看一个比较有代表性的反例：

（3）小朋友们以后也要平平安安和和谐谐的，至于那些撕成狗的毒唯们不管他们。
(2021 年 04 月 20 日 https://weibo.com/7574772440/KbH4D0W1N?refer_flag=1001030103_&type=comment#_rnd1620196148755）

例(3)的“和和谐谐”的原式“和谐”正是李劲荣(2014)所提及的表抽象义因而不易重叠的形容词，同例(1)(2)一样，这一重叠式所要表述也并非一个具体场景或事件，而是说话人所期盼的一种生活及心理状态。

从上述例句可见，重叠式的语义和功能与观察主体（说话人）的识解(construe)密切相关，我们认为从识解机制的角度来考虑重叠式的语义和功能，既可以更好地把握其本质，同时也可以破解已有研究所留存的问题点。上面曾谈到沈家煊(1995)、张国宪(2006)也是从认知的角度来考察形容词的基式与重叠式的语义功能问题的，但二文都未明确提及客体与观察主体的关系，而我们的着眼点则主要就在于关注在识解过程中客体与观察主体关系的变化，是如何导致观察主体对识解过程的介入方式的变化的。我们知道，认知语法的语言观是，一个表达式的意义不仅在于它的概念内容，而且取决于人们的识解特点(Langacker1987)。语言的意义寓于概念化之中，而概念化关系到观察主体(说话人)、客体和言语场景三个方面，不同的概念化过程反映了观察主体(说话人)对客体的不同识解过程和对言语场景的不同介入方式(Langacker1990，1991)。我们认为形容词基式和重叠式正是对应着不同的识解程序，反映观察主体（说话人）对言语场景的不同的介入方式。基式所表达的概念内容完全依存于客体，反映的是客体的客观属性，而重叠式所捕捉的是观察主体(说话人)对客体进行主观识解的结果，是观察主体(说话人)的认知世界中的性状，因此我们认为从基式到重叠式，二者无论是在概念内容上还是在表述功能上都经历了共时层面上的主观化④。

三、理论背景

目前，关于语言的主观性与主观化的研究一般可分为认知和语用两大取向。前者侧重于共时研究，以 R. W. Langacker 等为代表，后者则侧重于历时考察，以 E. C. Traugott 等人的研究为代表(参见沈家煊 2001，潘海峰 2016)。本文所提及的主观化理论主要指的是前者，为了便于后文分析问题，下面我们就将依据（Langacker1990，1991，2008）以及沈家煊(2001)、潘海峰(2016)等，对主观化理论的基本内容做一个简单的说明。

Langacker 的主观化理论主要是从共时的角度探讨句法表现形式与概念识解方式之间的关系，主张语言的主观性与语言使用者对客观情景的概念化的方式有关，重视语言使用者如何出于表达的需要，从一定的视角出发来识解一个客观情景(沈家煊 2001，潘海峰 2016)。Langacker(1990, 1991)将主观化定义如下：

- Subjectification can now be characterized as the realignment of some relationship from the objective axis to the subjective axis(1990: 17).
- Subjectification is a semantic shift or extension in which an entity originally construed objectively comes to receive a more subjective construal…(1991: 215)

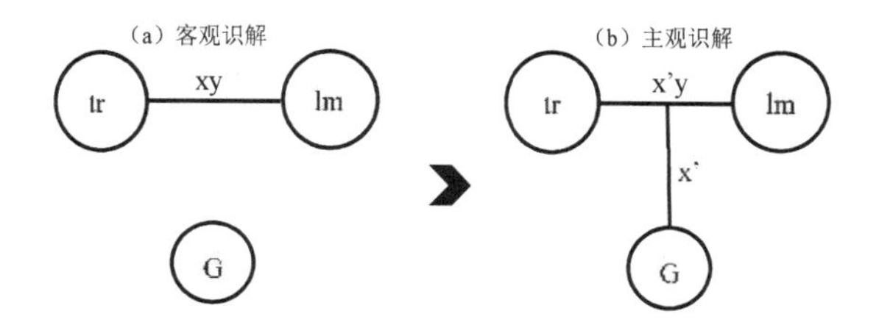

图 1　Langacker (1990: 17)

图 1 中，G 代表“言语场景(ground)”，包括会话的参与者，即说话人和听话人，以及谈话环境。tr 代表“射体”，lm 代表“陆标”，xy 代表射体与陆标之间的关系。图 1(a)中射体与陆标之间的关系（xy）不涉及“言语场景”，二者处在一个客观轴上，说话人也不介入言语场景，因此图 1(a)呈现的是对 xy 相对客观的识解过程；而图 1(b)对二者关系的描述则涉及言语场景，说话人介入了言语场景，关系中的一部分(即 x)被调整到了主观轴 x'上，因此图 1(b)呈现的 x'y 是主观识解。如上可见，主观化可以简单概述为将两个实体之间的关系从客观轴调整到主观轴,其关键在于说话人对“言语场景”的介入(沈家煊 2001)。请看以下两组例句：

(4)　a. Vanessa is sitting across the table from Veronica.
　　b. Vanessa is sitting across the table from me.
　　c. Vanessa is sitting across the table.　　　　(Langacker1990: 17-20)

(5)　a. Vanessa jumped across the table.
　　b. Vanessa is sitting across the table from Veronica.　　　(Langacker1990: 17)

首先针对例(4)，Langacker（1990）指出，在共时平面上，以上三个句子的主观性逐次增强。(4)a 只是以 Veronica 为参照点来给 Vanessa 定位，两者之间的关系并未引发言语场景，观察主体（说话人）自身也并未介入言语场景，因此(4)a 表达的是对 Veronica 与 Vanessa 之间关系的客观识解。(4)b 虽然是以说话人自身为参照点给 Vanessa 定位，但说话人以 me 的形式在语言的表层形式中出现了，因此(4)b 还是客观描述。相比之下，(4)c 虽然也同样是以说话人自身为参照点，但与(4)b 不同的是，这个参照点并没有在语言的表层实现为相应的语言形式，而是隐性的，此时参照点与说话人合二为一，说话人介入了言语场景，句子已由客观描述转为主观识解，因此(4)c 的主观性最强。

例(5)的主观化则不同于例(4)。在(5)a 中，描述对象 Vanessa 实际跳过了桌面，“across”在这里对应的是一个实际的物理运动的移动路径。而在(5)b 中，Vanessa 自身并没有任何移动，“across”对应的不再是实际存在的物理运动的移动轨迹，Langacker（1991）称之为说话人的心理扫描(mental scanning)，即概念化者的认知过程，并指出与 5(a)相比，5(b)的客体的物理移动义变得稀薄，而说话人的认知过程则显性化，即整个表述发生了主观化。

综上所述，(4)a、b 与 c，(5)a 与 b 的区别的本质就在于语言表达式体现了不同的概念识解过程和观察主体（说话人）对言语场景的介入方式。

从以上的说明可以看出，Langacker 的主观性指的是识解过程及观察主体（说话人）介入方式的特性，以及这种特性在语言形式中的表现（崔蕊 2014：8）。识解程序及观察主体（说话人）对言语场景的介入机制不同，相应的句法序列及其功能也就不同。接下来我们就援用主观化理论，对形容词基式和重叠式的语义和功能的差异进行具体分析。

四、形容词重叠式的主观性与主观化的认知分析

4.1 形容词基式的语义和功能

形容词基式与重叠式在形态上有所不同，二者所具有的语义和功能也有差异，这正体现了表达形式与概念识解方式之间的相互关系。首先，形容词基式在形态上是形容词的原本形式，观察主体（说话人）在识解过程中不介入言语场景，形容词基式与其所描述的对象之间的关系处在客观轴上，所以基式对应的是一种客观识解的概念化过程，其语义和功能是对事物的属性进行客观描写。例如：

（6）据传闻,赛里丝人和北印度人身材高大,他们可以寿逾二百岁。(CCL）

（7）他们的经济条件和工作条件都较好，工作时穿着整齐，衣领洁白，所以称“白领工人”。(CCL）

例(6)和例(7)分别是对“赛里丝人和北印度人”的身材和“他们”的穿着的描述。从中可以看出，在使用性质形容词“高大”“整齐”进行表述时，看不到观察主体(说话人)介入言语场景，对描述对象进行主观识解的痕迹，也没有引发具体的言语场景，因此表述相对客观。以下二例同样是在客观轴上对描述对象进行的客观识解。

（8）他性格温和,是受法国国家队队员欢迎的老队长。

（9）价钱便宜，质量也好。

相比之下，形容词重叠式通过形态手段对基式加以重叠，使语言形式发生了变化，而形式的变化必然引起语义和功能的变化，其变化的核心就在于改变了基式所具有的对描述对象的客观识解方式。

4.2 形容词重叠式语义和功能的核心特征——主观识解的概念化过程

4.2.1 重叠式最初出现的动机及早期重叠式的特征

为了更好地理解现代汉语形容词重叠式的主观化功能的本质，我们先参照已有研究，追溯一下重叠式最初出现的动机及早期重叠式的特征。根据王建军、周梦云(2018)的考察，重叠式在先秦时期就已出现，无论是形容词还是动词，也无论是 AA 式、AABB 式还是 ABAB 式，作谓语都是其初始且最基本的功能，做定语、状语等功能则是后来发展出的功能。这说明重叠式最初只是用来直陈现实场景的。此外，石锓(2010：320)指出，先秦时期可重叠的单音状态形容词的意义非常具体、形象，多数只能用来描写某一类事物的情貌，其语义狭窄，说不上有量幅。由此可见，早期被描写的事物是比较具体的客观存在，“再现性、现场性”是早期重叠式的重要表述特征。同时，王建军、周梦云(2018：8)也指出，先秦时期单音词的重叠绝大部分是构词重叠(重言)，是一种非自然、非稳定、非常态的现象，带有明显的随机性和偶发性。上述分析从主观化理论的角度来看，也可以理解为先秦时期说话人为了表达自己对眼前场景的主观感受而将单音词重叠使用(重言)，这也就意味着重叠式(重言)对应的是说话人自身直接介入言语场景的描述方式，客观场景已被说话人调至主观轴上，从而使客观识解转为了主观识解⑤。

4.2.2 现代汉语形容词重叠式的主观化与主观性

现代汉语形容词重叠式的语义和功能延续并进一步发展了其初始的用法和功能。诸多研究也已指出，摹状绘景的语句多采用重叠式，例如：

（10）四月的樱花柔柔嫩嫩，漂漂亮亮，非常迷人。(李 2014、2016)

（11）这便是那大厦，低低的，长长的，暧昧的，楼下点着一盏灯，. . .（CCL）

在以上例句里，描述对象“四月的樱花”“大厦”都是客观、真实的存在物，重叠式所直接描述的是观察主体对这些客观事物的主观感受，与其基式相比，明显具有一定的情态色彩。在此意义上说，现代汉语形容词重叠式的基本功能与其出现初期大致相同。

然而，与古代汉语不同的是，现代汉语形容词重叠式的主观化功能和主观性程度在不断加深，具体体现在以下两个方面：一是现场性、事件性、再现性的虚化；二是通过心理扫描构建观察主体（说话人）认知中的虚拟世界或虚拟状态。下面将对此逐条加以阐述。

I. 现场性、事件性、再现性的虚化

如前所述，我们在语料中找到了许多重叠式出现在非现场性、非具体事件句中的用例（如例 1）。下面我们再来看几个用例：

(12) “... 劳你的驾，这里可有一位姓张的客官吗？嗯，二十来岁年纪，身材高高的，或者，他不说姓张，另外说个姓氏。”(CCL)

(13) 我特别看重学生是不是诚实，做事是不是认认真真的，踏踏实实的，不是说好高骛远的…(CCL)

(14) 我认识一些外国朋友，在国外时平平常常，一到中国周围环境宠得他忘乎所以，觉得自己高中国人一等，...（CCL）

与例(10)(11)有所不同的是，例(12)-(14)的描述对象都不在现场，例句不是对具体场景或状态的描写或再现，不具备事件性。具体来讲，例(12)中的描述对象“张客官”并不在现场，听话人也有可能根本不认识此人，因此句中的重叠式“高高的”并不是对“张客官”外形的客观描写，而是说话人的主观认知中的“张客官”的外形特征。例(13)同样不具备现场性、事件性和再现性，这里本来也可以使用形容词基式（“做事是不是认真、踏实”），然而说话人所要表述的并不是一种客观标准，而是对学生所应有的做事态度或状态的主观认知，因此例(13)的重叠式的使用也是以观察主体的主观认知为出发点的，说话人直接介入言语场景，表达的也是说话人的主观识解过程。例(14)同样表达的是说话人对“一些外国朋友”的国外生活状态的主观认知。总之，与例(10)(11)相比，在这些例句里，现场性、再现性、事件性等特征都被虚化，说话人的主观认知或者说主观识解过程更加显性化。应当说，句中形容词重叠式的功能与先秦时期出现的对客观景物加以描写的用法已经有了很大的差异。

II. 通过心理扫描构建说话人的主观虚拟世界或虚拟状态

在第 3 节里，我们介绍了观察主体（说话人）在心理上对客体（人、物或场景）进行扫描也即心理扫描也是主观化的一种体现。Langacker（2008：528）⑥进一步指出，主观化是超越直接性经验的一种手段，通过心理扫描可以形成虚构移动或虚构变化等现象。通过对用例的考察，我们发现很多重叠式的使用都是观察主体（说话人）在构建、表述一个虚构世界或一种虚构状态，表达的都是观察主体（说话人）的心理扫描的结果。例如：

(15) ... 带给苒青一个无法忍受的疑问：世界为什么会是这样？黑黑的，乱乱的，脏脏的，它本身难道是一个大垃圾场吗？（CCL＝例(2)）

(16) 过春节，女篮姑娘们只有一个愿望："回家陪陪老爸、老妈，一家人热热闹闹的。" (CCL)

(17) "倘若不是想念着大家，惦记着大家，我作兴一辈子留在上海，穿了洋服，坐了洋车，住了洋房，吃了洋饭，当了洋奴，光光滑滑的，肥肥胖胖的，漂漂亮亮的，永远不回到这广东地面，永远不把自己当做中国人了！" (CCL)

以上例句的重叠式表达的都是观察主体或句中登场人物在大脑中所构建的情景或状态。我们在第 2 节已对例（15）＝例（2）进行了说明，这里着重分析例(16)-(17)。首先，例(16)所叙述的女篮选手们的愿望"一家人热热闹闹的"实际上并没有发生，而是选手们在大脑中构建的虚拟情景。也就是说，这不是对实际场景或状况的描写，而是女篮选手们通过心理扫描所形成的一种认知世界中的场景。例(17)同样描述的是一个虚构的场景，也不具备现场性和现实性。从上下文我们可以看出，"光光滑滑的，肥肥胖胖的，漂漂亮亮的"含有明显的讽刺意味，这种讽刺意味的表述与重叠式的主观化功能密切相关。重叠式如果换做基式，就会变成一种似与说话人的心理感受无关的"叙实"描写，原文的讽刺意味便会荡然无存，整个表述就会显得非常怪异。也正是因为上述用例所表述的是通过心理扫描这一典型的主观化手段所构建出来的虚构状态或情景，所以都不能换用形容词基式或以副词为修饰语的形容词短语，否则观察主体（说话人）本来的表达意图就无法实现，或者会成为不够自然的表述形式。在此意义上，我们认为"II"比"I"更能体现重叠式主观化和主观性特征。

以上我们从两个方面讨论了现代汉语形容词重叠式主观化和主观性程度的加深。综上所述，我们所分析的例句里的重叠式的语义和功能已经不是对客观存在的人、物、事的叙实描写，从而以"调量""绘景"等观点来解释其功能就显得十分牵强，并且已有研究所强调的现场性、再现性、事件性等特征在这些例句中也都有所虚化，因此，在我们看来，只有从观察主体(说话人)的主观认知或者说主观识解的角度，才能对形容词重叠式的功能做出合理的解释。

4.2.3 再论已有研究的问题点

以上我们通过对语言事实的分析，论证了形容词重叠式的语义与功能的核心就在于主观化和主观识解过程。在此，我们拟从主观化的角度对已有研究中尚未解决的问题再做分析，并力求对问题做出更为合理、一致的解释。如前所述，我们将已有研究的问题点归结为三点："调量问题"、"再现性、现场性问题"及"主观凸显问题"，下面我们就对上述问题点一一进行分析。

首先，关于调量问题，由于重叠式体现了主观识解过程，其描述的状态及所标示的量、程度都是观察主体（说话人）主观识解的结果，而非客体自身所具有的客观量，因此根据观察主体（说话人）主观识解方式或者说主观认知特点的不同，描述内容便会呈现增量、减量、足量等多种情况，甚至还可以如例(1)(2)那样，通过观察主体（说话人）的心理扫描而形成恒常形状，表述抽象的量或程度的含义。这些在以往研究中未能得到统一解释的语义特征，从主观识解的角度来看本质上都不矛盾，都是可被归结为主观识解的产物。下面请再看一个典型用例：

(18) 我们收获的喜悦虽然是<u>小小的</u>，却是<u>多多的</u>。（CCL）

在例(18)中，说话人针对抽象的描述对象"喜悦"，同时用"小小的""多多的"两个量幅互相矛盾的重叠式来进行描述。如果将这些重叠式的功能理解为是在调整描写对象的客观量的话，显然不够合理。从上下文可以看出，文中的重叠式所表达的"量"的含义都是说话人主观认知的结果，是通过心理扫描所形成的概念，从说话人的主观识解的角度才能给予这些重叠式的语义合理的诠释。

其次，关于"再现性、现场性"问题，我们通过对例(12)-(17)的分析，已经指出在事实上并不具备现场性、再现性的场景表述中仍可以使用重叠式，并且正是通过使用重叠式而构建出了一个虚构的情景或状态，从而使全句得以呈现出现场性、再现性特点。换句话说，在这些例句里，现场性和再现性并不是重叠式使用的条件，而是重叠式使用的结果，这与调量一样，是观察主体（说话人）主观识解的结果，是主观化的产物。

第三，关于主观凸显问题，已有研究主张重叠式表达说话人的主观评估或感情色彩，或凸显说话人的主观表达意图。我们认为这些特征归根结底本质在于重叠式反映了观察主体（说话人）对言语场景的直接介入和对客体事态的主观识解过程。此外，朱景松(2003)中所述及的重叠式具有激发主体显现状态的能动性，是一个很重要的主张，我们从主观化的角度可以对此作出更准确的说明，也就是说，正是重叠式的使用引发了具体的言语场景，观察主体（说话人）直接介入言语场景，从而使得重叠式体现出能动性特征。

以上，我们从主观化的角度分析了形容词基式及重叠式的语义和功能的本质特征及其区别，并对在既往研究中未能得到合理解释的诸多现象做出了统一的说明。

最后我们再从另外一个角度看看这个问题。李劲荣(2014)认为重叠式不能用于评论句，理由是“评论句表达说话人的观点或看法，人们评价某一事物不会看其暂时现象或状态，而是依赖于内在的本质。所以重叠式不能用于评论句”。例如：

(19) *大家觉得他为人诚诚实实，办事稳稳重重，值得信赖。（李劲荣 2014：74-75）

然而，我们发现，在语料库中不难找到重叠式与“觉得”并用，即用于评论句的例句，例如：

(20) 然而一开始真没爱上他，看着他一副和和气气的样子，觉得这人一定是踏踏实实的。（CCL）

从上下文可以看出，例(20)是在对一个人的人品进行推断和评价，重叠式用于评论句，且与“觉得”并用，并没有任何不自然的感觉。这也是由于重叠式在这里表达的是说话人的主观印象和认识，而不是对客体的临时状态的描写。如前所述，重叠式的语义和功能的本质就在于表达主观识解，而并不一定要有现场性或临时性，因此用于评论句也并不奇怪。由此可见，李劲荣(2014)所主张的“评论句表达说话人的观点或看法，人们评价某一事物不会看其暂时现象或状态”并不成立。

综上所述，我们认为，重叠式的核心特征就在于具有呈现主观识解过程及主观化功能，是缺乏形态标志和形态变化的汉语实现主观化的具体手段之一。沈家煊(2015：643)曾指出，汉语的词类系统有很强的主观性，表现在用自身的形态手段—重叠和单双音区分，把带有主观性的同类词分出来。董秀芳(2016：563)也指出，重叠形式与非重叠形式在很大程度上是主观性上有差别。本文在前文的基础上，进一步分析了二者主观性的差别究竟何在，揭示了重叠式语义和功能的核心特征。

在此，我们根据图 1 的图示方式，将形容词基式和重叠式各自所体现的概念识解过程图示如下：

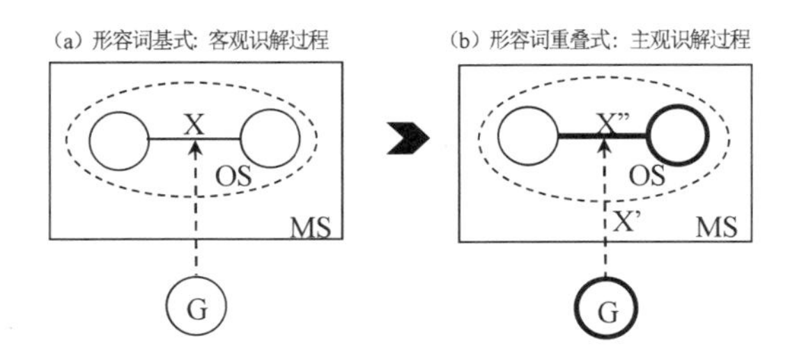

图 2 形容词基式与重叠式的概念化过程

图 2(a)中的 X 指形容词基式所捕捉的客体与客体属性之间的关系，此时由于 X 处在客观轴上，观察主体(说话人)不介入言语场景，所以图 2(a)体现的是一种相对客观的识解过程。相比之下，图 2(b)通过对形容词基式进行重叠改变其形态，使观察主体(说话人)介入了言语场景，客体与客体属性的关系 X 被调至到主观轴上(X’)，因此图 2(b)中形容词重叠式捕捉到的 X”是观察主体(说话人)的认知世界中的性状，即观察主体（说话人）主观识解的结果。

4.3 重叠式主观化功能的增强趋势

根据已有研究，单音节形容词中视觉类、味觉类和触觉类词语重叠自由，而知觉类单音节形容词，如“妙，广，猛，准，贪，俊”等等重叠则受限或不能重叠，原因是前者具体可感，易于生动形象地描绘，而后者较为抽象，不易把握(李劲荣 2014：15-16)。然而，通过调查，我们发现既往研究中提及的不能或难以重叠的形容词几乎都可以找到大量的重叠用例，重叠式的主观化功能呈现不断增强的趋势。请看以下例句：

(21) 炒股被套，不卖总也不涨，补仓也没用，啥时候卖割啥时候涨！准准的，邪门不?（2021 年 1 月 28 日 https://weibo.com/1896820725/ JFfHrqcOW?refer_flag =1001030103_&type=comment）

(22) 我跟卖切糕的都能和谐共处，给切个十块钱的，刀准准的，我还真是挺喜欢吃切糕的。(2021 年 2 月 7 日 https://weibo.com/2400966427/K0JfOaJL3?refer_flag =1001030103_&type=comment）

(23) 我呢，朝阳夕阳，一样都不放过。贪贪的，对，这才是我（2020 年 5 月 14 日 https://m.weibo.cn/status/4504530165179432）

(24) 我爸为什么总是半夜超大声洗漱，走路还狂狂的(2021 年 2 月 8 日 https://weibo.com/5660996771/K127V3I3b?refer_flag=1001030103_&type=comment）

(25) 以前宣传军队的战士们执行戍边抗洪等任务时多么苦，吃的差睡不好，这种感动人的路子已经不行了。现在转变了，都是武器多多的猛猛的，衣服厚厚的暖暖的，伙食热热的，香香的，底下都是叫好的(2020 年 11 月 27 日 https://weibo.com/5047408801/JumxSgp0F? refer_flag =1001030103_&type=comment)

(26) 难逃腺样体肥大的问题，为了以后俊俊的，咱忍了～（2021 年 2 月 9 日 https://weibo.com/1845973330/K16Q20zh9?refer_flag=1001030103_&type=comment #rnd1612859484947)

(27) 我的身材广广的；加油（2021 年 3 月 29 日 https://weibo.com/5594587106/K8qwJBJiJ?refer_flag=1001030103_&type=comment）

上述例句均来源于新浪微博或博客，我们在日常生活中也经常可以看到或听到类似的重叠用法，即便有些用法不太规范或并不常见，甚至是第一次出现，根据语境我们也是很容易理解说话人（博客主）所要表达的意思的。观察上述例句我们发现，首先这些例句都不是对客观景物的客观描写或说明，而都是依存于说话人（博客主）自身的个人经历，表述的是他们自身的体验、感受或虚构的情景、状态，因而上述例句具有很强的主观性。同时，上述例句大都属于极具口语色彩的新的说法，由此也可以看出，以往不能或难以重叠的知觉类形容词或语义抽象的形容词在日常会话中重叠用法在不断增多，而这些重叠式用法都是出于说话人（博客主）的主观表达的需要，用来表达说话人（博客主）自身的主观感受的。

根据以上语言事实我们可以推断，重叠式所表达的语义已不仅限于具体的描写义，其反映说话人主观识解的情态色彩在不断增强。由于重叠式在历时和共时平面都还处在语法化和主观化的过程中，目前还存在一些尚未完全凝固或定型的重叠式，今后也还会不断出现新的重叠式用法。为此，可以说，重叠式的主观化功能呈不断增强的趋势。

五、结语和余论

5.1 结语

本文借鉴认知语法学派的主观化理论，对现代汉语形容词重叠式的语义和功能这一备受关注，同时争议较多的问题再做探讨，从共时层面上揭示了形容词基式与重叠式语义和功能的本质差异。现将结论概括如下：

首先，形容词基式与重叠式的本质差异就在于概念化过程的不同，形容词基式反映的是一种客观识解的概念化过程，观察主体(说话人)自身不介入言语场景，因此形容词基式的语义和功能主要是对事物属性进行客观描写。形容词重叠式所表达的概念化过程则是一种主观识解，观察主体(说话人)直接介入言语场景，主体(说话人)与客体(描述对象)之间的关系被调整到主观轴上，这是一种主观化操作，因此，重叠式语义和功能的核心特征就在于改变观察主体(说话人)与客体(描述对象)之间的关系，引发言语场景，标明观察主体（说话人）对言语场景的介入。由于汉语缺乏通常意义上的形态标志和形态变化，因此，我们认为重叠式就是汉语实现主观化，提高语言表达的主观性的具体形态手段之一。

其次，已有研究所提及的形容词重叠式“表量、表程度、表状态”等功能及“现场性”“临时性”等语义特征，从主观化的角度来看，都可以归结为主观识解和主观化过程的产物，这些在以往研究中未能得到统一解释的语义特征，本质上并不矛盾，都与观察主体的主观识解及对言语场景的直接介入密切相关。

最后，根据表知觉等抽象义的形容词正从不能或难以重叠转变为可以重叠这一语言事实，我们似可推断，形容词重叠式正在经历进一步的语法化和主观化，其语义也在经历具体的描绘义减弱、主观情态义增强的变化过程。并且，正是由于重叠式还处在语法化和主观化的过程中，目前存在一些尚未完全凝固或定型的重叠式，而对这些重叠式的语义和功能的解释则会因人而异。总体来看，重叠式的主观化功能呈不断增强的趋势。

5.2 余论

Dixon(2004)及陈刚(2013)在讨论汉语、日语、英语的形容词的区别时曾指出，汉语和日语的形容词是动词性的，都可以直接做谓语，而无需添加系词；相比之下，英语的形容词是非动词性的，用作谓语必须添加系词。我们感兴趣的是，这三种属于不同语言类型的形容词在主观化问题上的具体差异和特征，即三者各自是通过何种方式手段来实现主观化，从而加强语言表达式的主观性的。对此，王安(2006)论述了日语形容词的主观性所在，王安(2013，2018)、王安、上原(2019)又进一步讨论了日汉形容词主观性与主观化的异同。今后我们还将考察英语形容词的主观性问题，并尝试从类型学的角度对日、汉、英三种语言的形容词的主观性进行体系化研究。

此外，因时间与篇幅所限，本文对形容词重叠式与以程度副词为修饰语的形容词短语的语义和功能的差异以及重叠式在否定句及疑问句的使用情况，及形容词重叠式+“的”的问题，都未能做考察和分析，这也是我们今后研究的课题。

附注

1) 形容词重叠式又被称为状态形容词(朱德熙1956)、形容词的生动形式(吕叔湘1980，李劲荣2016)等等。本文除在引述时遵照已有研究的用语之外，统一称之为形容词重叠式或重叠式。此外，性质形容词也有基式、原式等几种称呼，本文统称之为性质形容词或基式。

2) 李劲荣(2014：72)指出，现场性指事件发生或状态出现的具体场景，它既包括正在进行的场景，也包括过去进行的场景，当然还包括将来进行的场景。然而例(1)似乎不符合上述任何一种情况。

3) 李劲荣(2014)提及的24个不能或难以重叠的知觉类单音形容词具体如下：新，旧，破，烂，好，坏，笨，傻，美，丑，俊，猛，难，准，广，偏，贵，贱，强，弱，狂，妙，帅，贪。

4) 李劲荣、陆丙甫（2016）也指出从原式到重叠式的过程是一个从性质到状态，从隐量到显量的过程。然而并未指出，在这个过程里观察主体和客体之间的关系经历了怎样的变化，观察主体对言语场景的介入方式又是如何变化的。

5) 由于本文的讨论对象限于现代汉语，对古代汉语形容词并未做具体考察，所以对古汉语重叠式的主观性，仅参考前人研究做一个简单的推断和说明。

6) In a final means of transcending direct experience, mental operations inherent in a certain kind of experience are applied to situations with respect to which their occurrence is extrinsic. This is called subjectification, indicating that the operations come to be independent of the objective circumstances where they initially occur and whose apprehension they partially constitute(langacker2008：528).

参考文献

陈　刚 2013.《从形容词看现代汉语词类系统的主要特征》，《CASLAR》2(2)：267-289。

崔　蕊 2014.《现代汉语虚词的主观性和主观化研究》，知识产权出版社。

董秀芳 2016.《主观性表达在汉语中的凸显性及其表现特征》，《语言科学》第15卷第6期：561-570。

郭　锐 2012.《形容词的类型学和汉语形容词的语法地位》，《汉语学习》第5期：3-16。

郭锡良 2000.《先秦汉语名词，动词，形容词的发展》，《中国语文》第3期：195-286。

李劲荣 2004.《双音节性质形容词可重叠为AABB式的理据》，《上海师范大学学报》第33卷第2期：65-70。

李劲荣 2014.《现代汉语形容词生动形式的语用价值》，中国社会科学出版社。

李劲荣、陆丙甫 2016.《论形容词重叠式的语法意义》，《语言研究第 36 卷第 4 期》：10-21。

李宇明 1996.《论词语重叠的意义》，《世界汉语教学》第 1 期：10-19。

李宇明 1997.《论形容词的级次》，《语法研究和探索》(八) 商务印书馆：35-49。

刘丹青 编著 2017.《语法调查研究手册（第二版）》，上海教育出版社。

吕淑湘 1980.《现代汉语八百词》，商务印书馆。

吕淑湘 1982.《单音节形容词用法研究》，《汉语语法论文集》商务印书馆：327-348。

潘海峰 2016.《语言的主观性与主观化研究及其相关问题》，《上海师范大学学报》第 45 卷第 6 期：124-132。

沈家煊 1995.《“有界”与“无界”》，『中国语文』第 5 期：367-379。

沈家煊 2001.《语言的主观性与主观化》，《外语教学与研究》第 4 期：268-275。

沈家煊 2006.《认知与汉语语法研究》，商务印书馆。

沈家煊 2015.《不对称和标记论》，商务印书馆。

石　锓 2010.《汉语形容词重叠形式的历史发展》，商务印书馆。

石毓智 1996.《论汉语的句法重叠》，《语言研究》第 2 期。

王　安 2019. 口头发表《汉语形容词重叠式的主观性(Subjectivity)与主观化(Subjectification)的认知分析》第十届现代汉语语法国际研讨会会议，2019 年 10 月 25-27，关西外国语大学，日本大阪。

王建军、周梦云 2018. 《汉语重叠现象的演进趋势、生成历程及发展动因》，《语文研究》2018 年第四期：7-13。

王　力 1943.《中国现代汉语语法》，商务印书馆　1985 年版。

文　旭 2007.《语义、认知与识解》，《外语学刊》总第 139 期。

姚振武 2015.《上古汉语语法史》，上海古籍出版社。

张伯江 1997.《性质形容词的范围和层次》，《语法研究和探索（八）》：50-61 页，商务印书馆。

张国宪 2006.《现代汉语形容词功能与认知研究》，商务印书馆。

张国宪 2007.《形容詞的下位范畴的语义特征镜像》，《汉语学报》第 2 期：31-39。

张　敏 1997.《从类型学和认知语法的角度看汉语重叠现象》，《国外语言学》第 2 期：37-45。

张谊生 2013. 《限定到强调：“副＋A”程度式中的主观量差异及其功能体现》，《语法研究和探索》：23-4, 商务印书馆。

朱翠萍 2011.《现代汉语状态形容词语义研究》，光明日报出版。

朱德熙 1956.《现代汉语形容詞研究》，《语言研究》第 1 期。

朱德熙 1982.《语法讲义》，商务印书馆。

朱景松 2003.《形容詞重叠式的语法意义》，《语文研究》第 3 期：9-17。

張恒悦 2016.《現代中国語の重ね型—認知言語学的アプローチ—》，白帝社。

濱田英人、對馬康博 2011.《Langacker の主観性(Subjectivity)と主体化(Subjectification)》,《文化と言語：札幌大学外国語学部紀要》75：1-49。

王　安 2006.《日本語の感情形容詞が持つ「表出性」とその振舞い》，《日本認知言語学会論文集第 6 巻》：64-75。

王　安 2013. 《主体化》，《認知言語学 基礎から最前線へ》，くろしお出版 森雄一・高橋英光編, 181-204。

王　安 2018. 《中国語の＜主観性＞の再考察—使役表出文を例として—》，《認知言語学研究の広がり》，大橋浩・川瀬義清・古賀恵介・長加奈子・村尾治彦(編集)，開拓社。

王　安、上原聡 2019.《中国語の形容詞が持つ「主観性」を考える—性質形容詞とその重ね型を中心に—》《日本認知言語学会論文集第 19 巻》：11-23。

俞稔生 2007.《中国語の描写性を豊かにする文法項目》，《現代社会学部紀要 5 巻 1 号》：67-72。

Dixon, Robert M. W. 2004. Adjective Classes in Typological Perspective. *Adjective Classes: a Cross-Linguistic Typology* ed. By Robert M. W. Dixon & Alexandra Y. Aikhenvald, 1-49. Oxford: OUP。

Langacker, R. W 1990. Subjectification. *Cognitive Linguistics 1(1)*: 5-38。

Langacker, R. W 1991. *Foundations of Cognitive Grammar, Volume II, Descriptive Application.* California: Stanford University Press, Stanford。

Langacker, R. W 2008. *Cognitive Grammar: A Basic Introduction*. Oxford: Oxford University Press。

＜用例＞ CCL：http://ccl.pku.edu.cn:8080/ccl_corpus/

存现句的认知机制及其相关句式
——基于主观化的独词句衍生

张岩
（神户市外国语大学）

摘要：本文从认知语法的角度，对存现句及独词句的衍生机制做了相关讨论。首先，我们从参照点（reference point）构造的角度出发，指出现代汉语存现句符合参照点认知模式。其次，从主观化理论的角度指出，独词句是存现句主观化的产物，其表达效果并非强调发现某物，而是表达由该物诱发而生的感情、态度等等。

关键词：参照点构造；独词句；主观化；句式衍生；现象句

一 、引言

存现句作为汉语句式家族中重要的成员之一，一直是学者们十分关注的对象。存现句的研究肇始于范方莲(1963)，并一直绵延至今。从近年的研究状况来看，无论是形式学派还是认知功能学派，对存现句及其相关句式的探讨都比较深入。如顾阳(2000)从论元结构的角度出发，认为存现句的生成与句中动词的论元结构相关；唐玉柱 (2005) 提出了所有的存现动词都是非宾格动词的观点。杜丹、吴春相(2019)认为存现动词具有分裂施格的特征，存现句中的主宾语仍然基于动词格配置。从认知语言学的角度来看，任鹰(2007)讨论了存现句的句式特征和语序问题，任鹰(2009)讨论了领属句与典型的存现句之间的关系，指出“王冕死了父亲”这类经典例句与存现句存在着隐喻关系。吕建军(2013)从构式语法的角度对此观点进行了补强。杨炳钧(2019)认为，存现句是由两个独立小句经由句法隐喻(Grammatical Metaphor)而成的，即关系小句和存在小句缩合而成的。以上研究主要从存现句的生成机制及范畴化的角度对存现句进行了分析。而本文主要关注下列语言现象：

(1) a 那边有蛇。

b 蛇！

(2) a 厂里来了领导。

b 呦，领导！

(3) a 动物园关着一头狮子。

b 啊，狮子!

一般认为存现句与独词句是两类不同的句式。陈昌来(2000)认为独词句是非主谓句的一种，而将存现句划归为主谓句。杨成凯(2018)则认为独词句实际上隐含谓词，但并未指出这样的谓词是什么。张黎(2012)从句式的认知类型差异入手，首次将“蛇！”“飞机！”这类独词句与传统存现句归并为现象句，并认为现象句的根源认知图式(schema)是容器图式(container)。也就是说，张黎(2012)认为上述各例中的 b 句也符合容器图式。不难发现，上述各例中的 b 句都带有惊叹号，并且 ab 两句的句法结构差异巨大。认知语言学认为，句法规则不是任意的，而是有规律，有理据的。句法结构与人们的认知结构或曰经验结构有着天然的联系，是认知结构的反映。句法结构不同即为认知结构不同。因此我们有理由认为上述各例中的 b 句与 a 句在认识构造上存在某种差异。笔者管见，对于上述语言现象鲜有文章进行讨论。本文拟从认知语言学的角度，首先对存现句的认知机制进行描写，明确其认知结构特点；其次运用主观化理论，对上述 a，b 两类句式的衍生关系做出解释说明。

二 、存现句的认知模式及句法结构

2. 1 存现句的认知图式

前已述及，张黎(2012、2017)认为存现句的认知图式为容器图式，即，某容器中有某现象，符合“场景＋事件”的认知模式。我们认为这种图式是参照点能力的反映。Langacker(1993)认为参照点能力(reference point ability)是人类认知客观世界的基本能力之一，其定义如下：

> Reference point ability：
> The ability of invoke the conception of one entity for establishing mental contact with another (i.e. target).
> (笔者译：通过一个实体概念来认知联系另一个实体概念(即目标)的能力。)
>
> Langacker(1993：4)

Langacker(1993)将这样的认知模式图示如下：

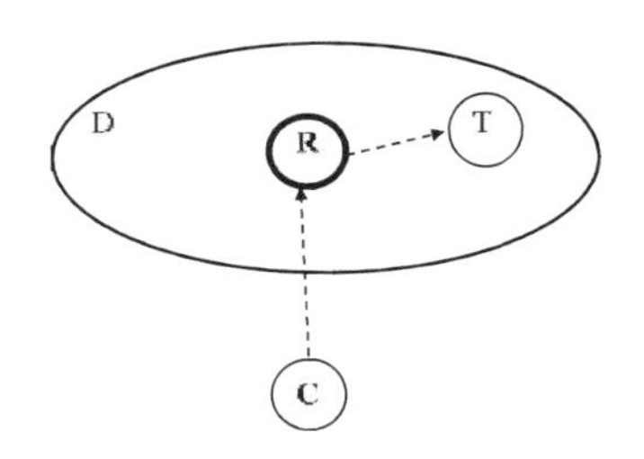

图 1　参照点构造（Langacker1993：6)

图 1 中，C 代表认知主体或曰概念化主体(conceptualizer)，R 为参照点(reference point),T 为目标(target)，而椭圆形的大圈 D 则指参照点的支配域(dominion)。图中点线箭头表示认知主体 C 认知事物时的认知路径，即认知主体对认知对象的把握路径，Langacker(1993)将其称为"mental contact"。从认知路径来看，要想锁定目标 T 必须先识别参照点 R，换言之，R 对认知主体来说往往是已知的。Langacker(1993)认为英语中的"certain presentational construction"符合参照点认知模式。下面我们通过具体例子对参照点能力进行进一步说明，请看例(4)。

（4）On the table sat a nervous calico cat（langacker1993：26　例句（21a））

Langacker 认为例（4）这样的例子含有焦点（focus）的转换（shift）。上例中的"On the table"是我们最先识别的，以它为参照点，识别目标"a nervous calico cat"。这样一来焦点由"On the table"切换至"a nervous calico cat"。这里需要特别注意的是，目标"a nervous calico cat"必须在参照点"On the table"所关涉的支配域(dominion)内，倘若"cat"不在以"On the table"为参照点的支配域内(dominion)，我们不会也不可能以"On the table"为参照点来锁定目标。

我们认为中文存现句也可以用参照点结构加以解释，这主要基于以下两点：

首先，汉语作为世界语言大家族中的一员，其句法特点与西欧诸语实有不同，其中最突出也是最明白的就是没有形态变化，句法手段常常依靠语序，一般遵照从新信息到旧信息的顺序，即，已知的明确的先说(即位于句首)，未知的不明的后说。而参照点恰恰就是已知的，这是因为如果不能识别参照点，也就不可能通过它锁定目标。胡文泽(2004)中有一例很能说明问题，现转引如下：

(5)屋子里一张大桌子，上面一把大茶壶，茶壶周围四个碗。

上例按参照点理论来解释，就是先以“屋子”作为参照点认知目标物“桌子”，再以“桌子”为参照点认知目标物“大茶壶”，最后以“茶壶周围”为参照点来认知目标物“四个碗”。从上面的例子不难看出，存现句不断地从旧信息导出新信息。如果用 langacker 的话来说就是焦点的转换。这类套叠的参照点结构可简单描写如下：

$$R1 \rightarrow T1 = R2 \rightarrow T2 = R3 \rightarrow T3$$

其次，在两个实体中，到底哪个实体更倾向于作为参照点，是有规律可循的。而其中一个重要的指标就是整体比起部分更容易作为参照点出现，即“整体＞部分(whole＞part)”，场景先于目标(langacker1993:30)。而存现句中的存现处所与存现主体本身具有依附关系，呈整体与部分的关系，如例(6)。

(6) a 桌子上放着一本书。

b 那边走来一个人。

c 教室跑了一个学生。

例(7a)中，存现主体的“书”依附于“桌子”。在(7b)这样的动态存现句中，“一个人”作为位移主体，其位移行为的发生必须以“那边”为参照点才能识解，不依附位移背景的位移行为是难以想象的。(7c)也同样如此，即“一个学生”的离开行为必须以“教室”作为参照点。也正是由于存现句的语义结构具备这样的依附关系，所以有学者主张存现句是一个容器图式(张黎 2012、2017)。但也应看到该容器图式实际是以容器(处所或场景)为参照点来识别依附于容器的某目标。另外这种容器(处所或场景)必须是有界的，当句首是抽象名词时，在句法上，往往需要方位词使其有界化。如例(7)。

(7) a 空气中弥漫着香气→*空气弥漫着香气

b 夜空中传来一声惨叫→*夜空传来惨叫

综上，我们认为参照点构造能够解释存现句的认知机制，即，存现句是认知主体(＝C)以某有界处所或曰某场景为参照点(＝R)，通过该处所/场景(＝R)来锁定依附于它的某目标物(＝T),在这个过程中，认知主体的焦点由 R 转换为 T。由于存现句的参照点与目标物存在依附关系，据此，我们将 langacker 的焦点构造变形如下，见图 2。

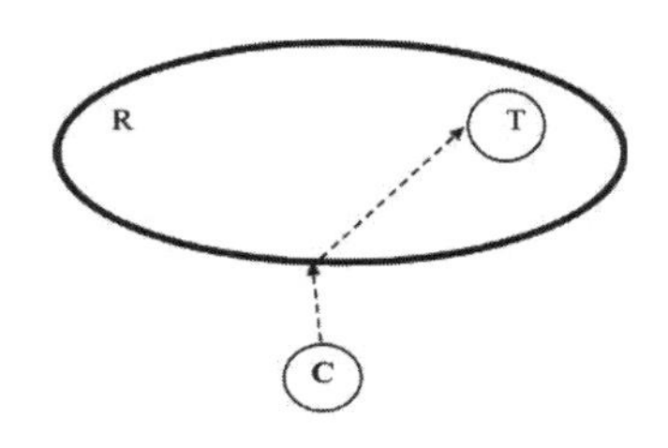

图2 基于存现句的参照点构造

2.2 存现句的句法结构再议

范方莲(1963)认为存现句的结构在形式上必须具备三段：A 段处所词语，B 段动词，C 段名量组合。而宋玉柱(1982、1988)提到了(8)(9)两类存现句。

(8)远处山谷里一片青青的森林。

(9)满脸青春美丽逗儿。

(8)(9)中并没有范氏提及的B段动词。这样就打破了范氏所主张的三分法。另外顾阳(2000)从论元结构的角度，认为存现句的形成是“二元涉处动词”的不及物化导致的。请看顾阳的例句(10)。

(10) a 老王把许多花草种在院子里。

b 院子里种着许多花草。

顾文的分析以论元结构为理论依据，换言之是动词中心主义。但我们在前文中已经提到，现代汉语中无 B 段动词的存现句不在少数。另外任鹰(2007)通过最小对(minimal pair)差异证明了，存现句中的B段仅表达存现方式而非具体动作，请看任鹰的例句（11）:

(11) a *院子里跳着一个人　　b 院子里跳着一只猴子

*田埂上蹦着一个人　　田埂上蹦着一只蚂蚱

*水里游着一个人　　水里游着一条鱼

(11a)组各句与(11b)组各句的句法结构以及B段动词(划线部分)没有任何差异，不同的仅是位于句末的表达存现主体的名词结构。任鹰(2007)指出存现主体“人”的常规存现方式不会是“跳着”“蹦着”或者“游着”，相反“跳着”“蹦着”作为跳跃能力强的“猴子”与“蚂蚱”的存现状态则十分合理，而“游着”是“鱼”常规存现状态。由此可以推断，B段动词实则表达目标物存在的某种状态或方式，是对目标物存在状态一种加细刻画，该成份是附着于目标物上的。另外，从形式学派的研究成果来看，也能导出同样的结论。黄正德(2007)认为存现句中的主语既不是动词的内论元也不是外轮元，而是中间论元。这种中间论元不与动词直接发生关系。宾语与动词发生关系构成谓语后，直接与该中间论元合并(merge)成句。从这个角度看，存现句中的主宾语是由动词论元派生而出的观点是站不住脚的。

杨炳钧(2019)认为，“台上坐着主席团”这类句子是由两个独立小句，即关系小句和存在小句缩合而成的，请看杨炳钧的例子，见例(12)。

(12)那是主席台，主席团坐在台上。→台上坐着主席团。

关系小句　　　存在小句

他认为这种缩合机制是语法隐喻的结果，到一定阶段，这些句式在语言使用和发展过程中逐渐固化，可能会成为一种常用句式。事实上，存现句古已有之，如(13)各句。

(13) a 庖有肥肉，厩有肥马，民有饥色，野有饿莩。(《孟子 梁惠王上》)

b 户内一僧……对林一小陀……舟尾一小童。(《核工记》)

如果说“台上坐着主席团”是由关系小句“那是主席台”与“主席团坐在台上”在长期使用过程中经由语法隐喻缩合而成的，那么古代汉语中的存现句又是怎么形成的呢?我们很难想象(13)中的存现句是由“关系小句”与“存在小句”缩合而成的。

事实上，前面的参照点构造已经向我们展示了，存现结构的认知基础是通过处所这个参照点来认知依附于它的某个目标物。参照点作为已知成分位于句首，是第一注意，充当已知话题，而目标物则为新信息是第二注意，出现在句末，动词部分则附属于句末的新信息上，描写事物的存现状态（对应静态存现句）或存现原因（对应动态存现句）。整个句法结构符合“话题-说明(topic-comment)”结构，呈二分结构，而不是三分。

三 、主观化理论及独词句衍生

3.1 何谓主观化

Langacker(1990)曾用以下三个例子对主观性梯度进行了描述，参见例(14)各句。

(14) a. Vanessa is sitting across the table from Veronica.　(langacker1990:326)

b. Vanessa is sitting across the table from me.　(langacker1990:328)

c. Vanessa is sitting across the table.　(langacker1990:328)

各句的认知图式构拟如下，请参看图3。

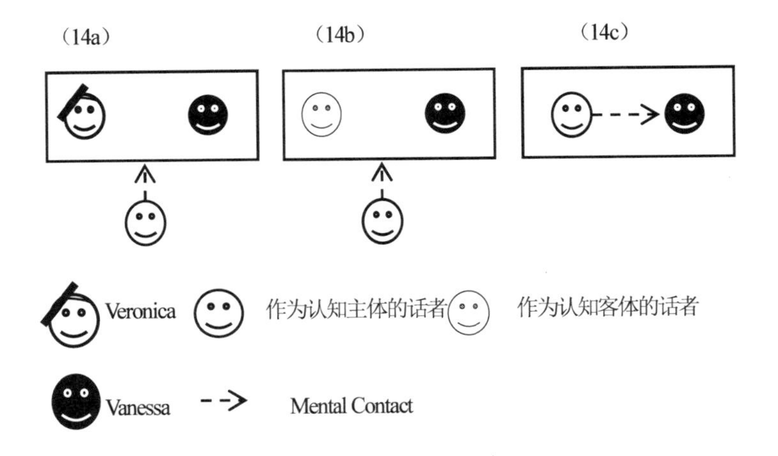

图3 主观性梯度构拟

上图(14a)中，作为认知主体独立于认知对象之外，客观地把握认知对象“Vanessa”与“Veronica”，例句(14a)是认知主体对客体(即“Vanessa”与“Veronica”两者)进行把握，语言化的产物。与(14a)不同，(14b)中的说话人不但是认知主体，同时自己作为被认知的对象被语言化了，即“me”。此时，认知主体的一部分介入认知对象之中，即自己认识自己，如图3中的(14b)。例句(14c)与前两者不同，作为认知主体的说话人完全没入到事件中，从自己的主观视角出发把握认知对象“Vanessa”的位置，由于认知主体本身完全参与到事件内部，其主观性最强。

从Langacker(1990)的记述来看，判断主观性大小的基准实际就是认知主体多大程度上参与到被认知客体之中。如果我们用沈家煊(2001)的话说，就是“言语场景 ”多大程度介入“实体与实体(＝认知对象)”之间。当然，认知语言学认为的语言表达都是主观的，即认知主体对客观世界进行语言化，而语言化本身就是由客观世界到经验世界的过程。因此不存在绝对客观的语言。王寅(2019)之所以将“认知语言学”称为“体认语言学”，其原因就是由于语言是认知主体对客观世界体验认知的结果，由此产出的语言势必带有认知主体的经验成分。因此主观性只存在梯度问题。当我们说“客观性”或“主观性”时，都是在承认这一前提下进行的。也就是说“客观性”是对“主观性”的相对客观，“主观性”是对“客观性”的相对主观。如上列中的(14b)与(14a)相比，属于“主观性”强势表达，与(14c)相比则属于相对“客观性”强势表达。

3.2 独词句的衍生机制—存现句的主观化

下面我们来讨论文本开头提出的问题，请再看本文开头所列的几组例句，参见（15）（16）（17）。

(15) a 那边有蛇。

b 蛇！

(16) a 厂里来领导了。

b 呦，领导！

(17) a 动物园关着一头狮子。

b 啊，狮子！

本文主张(15)(16)(17)中的 b 句是由 a 句经过主观化衍生而成的。换言之，其根源构式（radical construction）是存现句，而不是其他。存现句的认知机制是以某处所为参照点，通过该参照点探索附着于其的某目标。而上例中 b 句，实际上认知主体完全没入参照点所指示的空间之中，这样一来，认知主体与认知目标共同处于同一场景，因此认知主体可以不通过处所这个参照点直接认知目标物，参照点 R 也就失去了语言化的必要性，在这里，我们用虚线表示。如图 4。

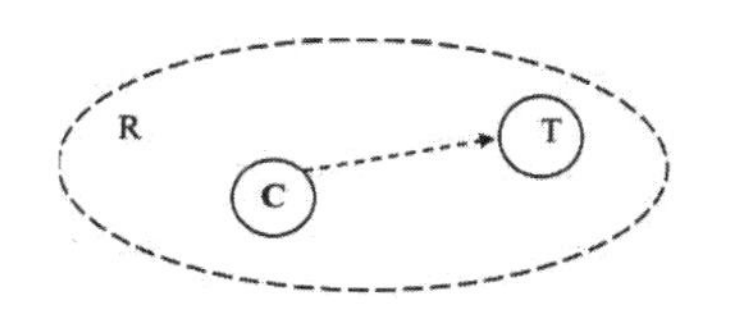

图 4 独词句的认知构造

与前文中的图 2 相比可以发现，由于图 4 中的认知主体已经没入参照点所指示的处所之中，即认知主体直接参与到实体之间，是主观性强的表达。而图 2 中的认知主体在参照点所指示的处所之外，没有直接参与到实体之间，以较客观的视角按部就班地把握目标物，是客观性强的表达。像这样从认知主体与认知对象相对独立到认知主体参与到认知对象之中是主观化过程的体现，如图 5 所示。

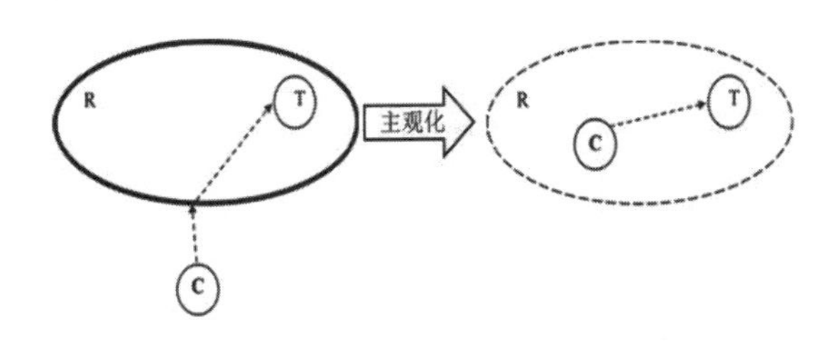

图5 存现句向独词句衍生的主观化机制

3.3 从主观性看独词句的表达效果

上面我们从主观化的角度，对存现句以及由其衍生的独词句的生成机制做了论述。下面我们从主观性的角度来谈谈这类的独词句的表达效果。

从图4来看，认知主体C可以直接认知目标T，即从自己的主观视角直接把握目标T，是一种体验式认知。池上(2004)在谈及主观性问题时，对“体验”进行了相应描述，具体如下：

> 〈体験〉とは発話の主体が直接自らの身体において事態を感知し、経験しているということ、そしてそれに誘発される形で何らかの気持ち、感情、想いが心に浮かんでくることまでを含むものとする。(笔者译：所谓的“体验”是指说话主体通过自己的身体来感知某事态，它也包括由某个事态所诱发的心情、情感、思想等表达心境的东西。)
>
> 池上(2004：23)

从上面的话中，我们可以知道，当我们用身体去感知客观世界时，也能同时感知到我们对客观世界的态度、情感等等。汉语独词句恰恰反映了这种认知机制。请看例(18)。

(18) 突然，前头走着的小王惊叫一声，音调里充满了恐惧。“什么事？”我赶紧问。“蛇！蛇！”小王连声说。（BBC）

例(18)中，当小王连声说 “蛇！”时，是基于对“蛇”这种动物的恐惧，这一点也可从前文中的“惊叫”“充满恐惧”等表达得到佐证。从语言的角度来看，虽然语言化的对象是“蛇”这样一个事物，但实际表达的却是我们对“蛇”的恐惧情感。这就是为什么独词现象句总是伴随着说话人的情感和态度。类似的还有例(19)。

(19)她惊惶地看着蜡头的亮光，忽然一口吹掉，低声叫道："飞机！飞机！……"

原来村里的人听到扫射，都捞上被子，躲到后山沟的雪窝里去了。(BBC)

(19)中的"她"只语言化了"飞机"，除此以外，没有任何语言化行为。但从前后文的语境来看，我们明确知道，说话人认为此时的"飞机"是一种危险，是诱发说话人"惊惶"情绪的原因，也就是说此时的"飞机"并不是为了传达发现了飞机这样一种东西，而是为了传达某种情感。需要补充的是，这种独词句虽然凸显话者的情绪，但这种情绪并不都是负面的，可以是任何可能的情绪。如我们在文章开头所举的例子"哟！领导！"，它既可以表达见到领导时的欣喜，也可以表达惊讶，甚至讽刺等等。事实上这类独词句到底表达怎样一种情绪，只有说话人自己知晓。以往认为名词性独词句一般表达发现某物，强调某物的存在，如陈昌来(2000)。但从主观性的角度来看，这类独词句表达的是由某存现物所诱发的情感态度等。

四 、结语

本文从认知语言学的角度，对存现句及其相关句式的衍生问题做了探讨，主要提出以下三个观点：

1.存现句的认知模式是参照点能力的反映。存现结构的认知基础是通过处所这个参照点来认知依附于它的某个目标物，其认知结构反映句法结构，符合"话题-说明(topic-comment)"结构。

2.本文所涉及的名词性独词句是存现句经由主观化衍生而成的。当认知主体完全没入参照点所指示的空间中时，认知主体可不通过处所这个参照点直接认知目标物，进而体验式地把握认知对象，从而形成独词句。

3.由存现句衍生的独词句不是对客观事物的描写，而是情感的表出。这类独词句的认知模式是认知主体体验式地把握认知对象，虽然语言化了的是存现主体，但实则表达的是由它诱发的情感，态度等等。

参考文献

陈昌来 2000.《现代汉语句子》上海：华东师范大学出版社

杜　丹・吴春相 2019.从分裂施格现象看汉语存现句的类型特征，《解放军外国语学院学报》第 4 期：23-32。

范方莲 1963.存现句，《中国语文》第 5 期：386-395。

顾　阳 2000.论元结构及论元结构变化，沈阳（编）《配价理论与汉语语法研究》北京：语文出版社

胡文泽 2004.汉语存现句及相关并列紧缩结构的认知功能语法分析，《语言教学与研究》第 4 期：1-13。

刘月华 2001.《实用现代汉语语法》北京：商务印书馆

吕建军 2013.“王冕死了父亲”的构式归属-兼议汉语存现构式的范畴化，《语言教学与研究》第 4 期：75-83。

任　鹰 2007.存现句的句式特征及其语序原则，张黎・古川裕等（编）《日本现代汉语语法研究论文选》

任　鹰 2009.“领属”与“存现”：从概念的关联到构式的关联——也从“王冕死了父亲”的生成方式说起，《世界汉语教学》第 4 期：308-321。

沈家煊 2001.语言的“主观性 ”和“主观化 ”，《外语教学与研究》第 4 期：268-275

石毓智 2010.《汉语语法》北京：商务印书馆

宋玉柱 1982.定心谓语存现句，《语言教学与研究》第 3 期：27-34。

宋玉柱 1988.名词谓语存现句，《徐州师范学院学报》第 6 期：87-90。

宋玉柱 1995.论存在句系列，《语法研究与探索（七）》北京：商务印书馆

唐玉柱 2005.存现动词的非宾格性假设，《重庆大学学报（社会科学版）》第 4 期：84-87。

王　寅 2019.体认语言学发凡，《中国外语》第 6 期：18-25。

杨炳钧 2019.“台上坐着主席团”的概念语法隐喻阐释，《中国外语》第 2 期：48-54。

杨成凯 2018.《汉语语法理论研究》北京：中华书局

张　黎 2012.汉语句式系统的认知类型学分类-兼论汉语语态问题，《汉语学习》第 3 期：14-25。

张　黎 2017.《汉语意合语法学导论-汉语型语法范式的理论建构》北京：北京语言大学出版社

池上嘉彦 2004.言語における主観性と主観性の言語的指標（1），認知言語学論考 No.3：1-49。

Langacker, R. W. 1990. Subjectification. Cognitive linguistics1：5-38.

“有 $N_{\text{受事}}$ V”结构的语义特性及能产性

张晨迪

（中山大学）

摘要：本文从“有 $N_{\text{受事}}$ V”结构构成成分的形式、语义及 N 与 V 的搭配限制等方面出发，首次对现代汉语“有 $N_{\text{受事}}$ V”结构进行了详尽的描述，并着重探讨了“有 $N_{\text{受事}}$ V”结构的语义特性及能产性问题。首先，通过与两类相似结构（一般的“有”字连谓结构与“V1 $N_{\text{受事}}$ V2”结构）的比较，本文指出了“有 $N_{\text{受事}}$ V”结构形式上与语义上的特性，在此基础上分析认为“有 $N_{\text{受事}}$ V”结构表达“主体 X 处于可以重复、持续对 N 进行 V 的状态”的语义，并据此对“有 $N_{\text{受事}}$ V”结构认可度高低不同的现象作出了解释说明。其次，本文从生成词库论的物性结构（qualia structure）的视角，进一步对“有 $N_{\text{受事}}$ V”结构的能产性问题进行提炼概括，即 V 为 N 功用角色的“有 $N_{\text{受事}}$ V”结构能产性高，其他则能产性低。最后，本文还区别了语料中“有 $N_{\text{受事}}$ V”结构的隐喻义与非隐喻义两种用法并探讨了其与“有 N”领有句的互换问题。

关键词：“有 $N_{\text{受事}}$ V”结构；语义特性；能产性；物性结构；隐喻

一、引言

朱德熙（1982）曾指出“有”字连谓结构中有如下这样的一类句式，在此类句式中，“‘有’之后的名词 N 意念上是其后动词 V 的受事，所以 V 后不能再带宾语”。

（1）a. 孩子还有衣服穿呢，不用给他买新的了。

b. 错开高峰时段上班的话，不但不挤，而且还可能有座位坐。

c. 去草原旅游真好，不仅有烤全羊吃，还有马骑，好不惬意。

本文将此类句式称为“有 $N_{\text{受事}}$ V”结构，以下为行文方便，简称为“有 N V”结构。目前为止，除一些语法著作对“有 N V”结构进行过类似上述的语法描述外（刘月华 2001，吕叔湘 1999/2009 等），学界对“有 N V”结构的研究较少，尚未看到相关的专题研究[①]。然而，“有 N V”结构的语言事实及规律尚有待挖掘。

首先，与相关的两类句式即一般的“有”字连谓结构（如“张三有本书看完了”）及“V1 $N_{\text{受事}}$ V2”结构（如“种菜吃”“找本书看”）比较，“有 N V”结构的构成成分在形式与语义两方面都与这二者不同。比如，“有 N V”结构中名词成分 N 须为光杆名词，不能为数量短语形式，而另外两种结构中的N则没有该限制，其可为数量短语等（具体参照后文2.1、2.2节）。“有NV”结构整体构式化程度高，语义特殊且固定。

其次，就“有 N V”结构本身而言，我们发现有些句子认可度普遍高，如（2a）-（5a），而有些则相对认可度低，如（2b）-（5b）。

（2）a. 现在条件好了，我们都有房子住。　b. ?? 我们有房子盖。

（3）a. 孩子们都有衣服穿，不用买新的了。　b. ?? 他有衣服做。

（4）a. 他大学一毕业就有车开。　b. ?? 他有车洗。

（5）a. 小王有电话用。　b. ?? 小王有电话接。

在（2）-（5）中，“住房子/盖房子”、“穿衣服/做衣服”、“开车/洗车”、“用电话/接电话”都是自然的动宾搭配，但（2a）-（5a）自然，而（2b）-（5b）一般认可度低，除非有一些临时的，特殊的语境的支持。

综上，与一般“有”字连谓结构及“V1 $N_{受事}$ V2”结构相比，“有N V”结构在形式上与语义上的特性是什么？为什么有些“有NV”结构的句子认可度高，而有些句子则相对认可度低？要回答上述这些问题，就必须对“有NV”结构进行较详细的挖掘。本文拟从“有NV”结构的构成成分出发，对其各成分的形式与语义特征进行细致的描写，在此基础上分析探讨“有NV”结构的语义特性及能产性问题，以期对上述问题作出回答。

二、构成成分的特征

2.1 形式特征

首先，“有NV”结构在形式上具有明显的特征，表现在结构中的N须为光杆名词，不能是数量短语或“指示词＋数量短语”形式[②]。

（6）a. 王梅有书看，这本杂志借给你吧。

b. *王梅有一本书看/有这本书看，这本杂志借给你吧。

（7）a. 学校后面有片苹果园，所以同学们经常有苹果吃。

b. *学校后面有片苹果园，所以同学们经常有几个苹果吃/有这些苹果吃。

（6）中的“有书看”很自然，而“有一本书看/有这本书看”很别扭，（7）也一样。

除对名词成分的限制外，“有NV”结构中的动词V也有限制，其必须是光杆动词，后面不能附加其他成分，如（8）。（8b）中V后附带助词“了，着，过”，（8c）中V后附带“得”字补语，这两个句子都不成立。

（8）a. 王梅有书看，这本杂志借给你吧。

b. *王梅有书看着/了/过，这本杂志借给你吧。

c. *王梅有书看得快，这本杂志借给你吧。

上述“有N V”结构的形式与一般的“有”字连谓结构不相同。袁毓林等（2009）认为“X+有+Y+Z”形式的“有”字连谓结构一般有如下几类。不难看出，这些“有”字连谓结构中的名词成分Y一般都是数量短语，而且谓词成分Z也都由动词及其附带成分构成。

（9）a. 小王有一台电脑出了毛病。（X和Y之间为物权领有关系）

b. 我朋友有个儿子想学围棋。（X和Y之间为关系性领有关系）

c. 考生有三天时间继续上机练习。（X和Y之间为性状领有关系）

d. 这台车有一个轮胎破了。（X和Y之间为包含关系）

e. 村里参军的有三个人牺牲了。（X和Y之间为包括关系）

另一方面，与“V1 N受事 V2”结构相比，二者在第二个动词必须是光杆动词这一点上虽然相同，但值得注意的是，当“V1 N受事 V2”结构中V1为“有”之外的其他动词时，该结构中的N一般既可以是光杆名词，也可以是数量短语，如（10）[③]。

（10）a. 我们种菜吃。 b. 我们种那种菜吃。（Li & Thompson 1980）；

c. 我做汤喝。 d. 我做一碗汤喝。

从以上与两类相关结构的对比中不难看出，“有 N V”结构形式特殊且结构化程度较高。

2.2 语义特征

2.2.1“有”的特征

“有”是“有 N V”结构中唯一的不变量。如（11）所示，“有”后可以接时体助词比如表“完成”的“了”。

（11）a. 小明有了玩具玩，就不再缠着妈妈讲故事了。

b. 爸爸在城里打工挣了钱后，家里就有了大房子住。

与之相对，如上节所述，“有N V”结构中的V必须是光杆动词，其后不能接时体助词等其他要素。不仅如此，很多情况下，“有N V”结构去除V后句子同样成立。

（12）a. 小明有了玩具，就不再缠着妈妈讲故事了。

b. 爸爸在城里打工挣了钱后，家里就有了大房子。

与（12）相比，假若从（11）的“有 N V”中去除“有”，句子则完全不能成立。以上事实说明“有N V”结构中“有”是主要动词，V不是，其不同于“有一个学生走丢了”类“有”字句，在那类句子中“有”虚化了，“走丢”才是句中主要谓词（袁毓林 2009）。

“有N V”结构中“有”是主要动词，但由于V的存在，使得“有N V”结构与一般的“有N”领有句语义不同。如（13a）所示，“有N”领有句一般表示某主体X（比如“张三”）对某物（“车”）的所有权的拥有，但“有N V”结构不强调某主体X与N这样的所有权领有与被领有的关系。

（13）a. 张三有车。

b. 张三有车开/ 有车坐，可从来都骑自行车，我连车影也没看见。

（13b）“张三有车开/有车坐”中的“车”有不同解读的可能性。“车”可能是张三购买的车（张三有所有权），也可能是公务用车或朋友长期借给张三供其使用的“车”（张三没有所有权）。“有N V”结构不强调主体X对N的所有权的领有，而是强调对N进行某种动作（V）的权利的领有。（13b）“有车开/有车坐”表示的就是“张三”对“车”进行“开”或“坐”的权利的领有。也就是说，“有 N V”结构中的“有”可以看作是一种广义上的“领有”。“领有”是一种静态义，“有”的这种静态意义直接影响“有N V”结构中V的语义解读。

2.2.2 V的特征

如2.1所述，“有N V”结构中的V必须是“光杆动词”，后面不能附加其他成分。光杆动词一般表示未然的动作，不表示已然的动作（张豫峰 1999），“有N V”结构中的光杆动词V亦然。但是，一般的光杆动词，比如前文提到的“V1 N受事 V2”结构（V1不为“有”）中的光杆动词V2，可以表示单次的动作行为。

（14）a. 今晚咱们买点西红柿做汤喝吧。

b. 时间只剩最后1分钟了，张三只好挑歌唱。

（14a）“做汤喝”的“喝”表示主体“咱们”限于今晚一顿的“喝汤”的行为，（14b）“挑歌唱”的“唱”也表示主体“张三”最后1分钟“唱歌”的单次动作。但是，“有N V”结构中的光杆动词V不表示单次的动作行为，这从“有N V”结构不能用于事件句这一点上可以看出，如（15）。

（15）a. *张三下午不出门，在家有书看。

b. *王梅明天去大姨家，有蛋糕吃。

从“有N V”结构和“V1 N$_{受事}$ V2”结构的对比中我们不难看出，“有N V”结构不表示单次的已然的动作主要是受动词“有”的静态语义的影响。“有”表示的“领有”是一种持续的状态，这种[+状态]意义影响光杆动词V，使其表示的动作行为具有了重复性、持续性意义。

2.2.3 N的特征

如前文所述，“有N V”结构中N必须为光杆名词，不能是数量短语或“指示词+数量短语”形式。其实，光杆名词如“酒”“衣服”等表达类属概念，属于基本层次范畴（basic-level category），它们易与[+状态]义强，具有持续性、重复性的谓语搭配，比如“老鹰”和表达一种惯常行为的“天上飞”搭配构成“老鹰天上飞”，其多用来表达“老鹰”这一动物的一种属性。

从这个角度考察可知，数量短语或“指示词＋数量短语”不能用在“有NV”结构中，这多半是由于数量短语或“指示词＋数量短语”构成的名词成分一般表个体事物，如“一本书”“这本书”，不是类属概念，所以不易进入[+状态]义强，具有持续性、重复性的“有NV”结构，而只有表类属的光杆名词才能与之搭配。

综上，我们可以看出“有N V”结构的三个构成要素之间相互影响，相互依存。N后续光杆动词V，使得主体X与N的关系不同于“有N”形式中X与N之间的所有权领有与被领有的关系，也使“有”不同于“有一个学生走丢了”这类句子中虚化了的“有”，具有了广义上的“领有”的意义，而“领有”所蕴含的[＋状态]义也影响光杆动词V，使其不表示单次的未然的动作行为，而是具有重复性、持续性。这二者的结合又影响名词成分N的选择，使其只能为表类属的光杆名词，而不能是表个体的数量短语或“指示词+数量短语”。可见，“有NV”结构中的三个要素相辅相成，共同构成了这一结构。

三、“有NV”结构的语义特性及能产性问题

3.1“有NV”结构的语义特性与句子认可度差异

通过以上探讨，我们可以对“有NV”结构表达的语义作出一个基本的分析。本文认为，“有NV”结构表示“主体X处于可以重复、持续对N进行V的状态”的意思。

换句话说，“有N V”结构表示“主体X对N进行V的权利的领有”。

（16）a. 张三有车开/ 有车坐，可从来都骑自行车，我连车影也没看见。

b. 王梅有书看，这本杂志借给你吧。

以（16）为例，（16a）表示“张三”处于可以重复地、持续地“开/坐某一车辆”的状态，也就是张三“有权利或条件‘开/坐’某一车辆”。（16b）表示“王梅”处于可以重复地、持续地“看某一本/一些书”的状态，也就是王梅“有权利或条件‘看’某一本/一些书”。“有N V”结构整体的这种状态意义表现在其常常可以与表“惯常”的时间副词共用这一点上。

（17）a. 投入10元钱，全年有书看——德州走红“读书社” （人民日报1995）

b. 诙谐的村长在我们离开山寨时还兴高采烈地说:“我们打算集资修小电站，有了动力再办粮油加工厂。以后天天有肉吃，天天有钱花，出门有车坐，进门看电视，安逸得很!” （人民日报1996）

c. 我每天参加劳动，劳动改造，每周二、四有肉吃，十天半个月还能看上场电影。 （王朔《千万别把我当人》）

（17）中，“有N V”结构分别与“全年”“天天”“每周二、四”等时间副词共用，体现了“有N V”结构整体语义上的状态意义。

引言中我们已指出，有些“有N V”结构的句子认可度高，而有些“有N V”结构的句子认可度低，如（2）-（5）。

（2）a. 现在条件好了，我们都有房子住。 b. ?? 我们都有房子盖。

（3）a. 孩子们都有衣服穿，不用买新的了。 b. ?? 他有衣服做。

（4）a. 他大学一毕业就有车开。 b. ?? 他有车洗。

（5）a. 小王有电话用。 b. ?? 小王有电话接。

为什么会出现上述认可度的差异？我们认为这与“有N V”结构表达的基本语义有很大关联。根据上文的分析，（2a）表示“我们买了房子或政府提供了经济房给我们，使我们对某一住房具有‘住’的权利”这一意思。在日常生活中，“我们处于持续住在某一房屋的状态”作为一种常态自然存在，所以（2a）成立；与之相对，在现实生活中“我们处在持续地盖房子的状态”一般不会发生，所以（2b）认可度较低，除非听话人联想到“我们”是建筑队这一特定群体，可以构建起“我们”经常收到盖房子的订单这一语境，这时句子才可接受。

再以（4）为例，（4a）表示“他自己买了车或父母提供车给他，使他对某一车辆具有‘开’的权利”这一意思。在日常生活中，“他处于可以持续、重复地开某一车辆的状态”是一种常态，所以（4a）可以成立；与之相对，“他处于可以不断地洗车的状态”在日常生活中不是一种常态，只有当听话人构建起一些特定的语境，如“他进入了洗车这一服务行业，对他来说洗车的订单越多越好”，这时句子才能得到认可，否则认可度较低。同样地，（3a）、（5a）比（3b）、（5b）认可度高，其原因也都在于前者更容易作为一种状态存在，而后者通常需要在临时建构的语境中才能成立。

3.2 “有 N V”结构的能产性

那么，什么样的“有 N V”结构不需要临时语境的建构就认可度高，什么样的“有 N V”结构认可度低，需要临时语境的建构才能成立呢？这个问题与“有 N V”结构的能产性相关。我们认为，生成词库论（Pustejovsky 1995）特别是其中的物性结构（qualia structure）可以为上述问题提供一个很好的概括框架。“物性结构是一种用来描写名词语义结构的认知框架。不同于传统基于义素的词义结构分析模型，它从名词不同语义成分在整个语义结构中的认知作用（即“角色”）来刻画语义成分及其关系。”（施春宏、李聪 2018）。名词的物性结构包含四种角色，分别是形式角色、构成角色、功用角色和施成角色。形式角色（formal role）指名词所指事物区别于其他对象的外在属性特征，如形状、大小、颜色等。构成角色（constitutive role）指名词所指事物的结构属性，包括名词内部结构组成成分、名词所指事物与其他事物的结构关系。以“门”为例，“门”的颜色包括“白色、灰色、黑色等”，形状包括“圆形，方形，拱形等”，这些都是“门”的形式角色；另外，因材料质地不同，“门”还可以分为木门，铁门，铝合金门等，这些是“门”的构成角色。另一方面，功用角色（telic role）指物体的用途和功能；施成角色（agentive role）指导致物体形成或产生的因素。以“书”为例，其功用角色是“看/阅读”，施成角色是“写”。

从物性结构的角度审视“有 N V”结构中的名动搭配，如上文的（2）、（3），可以发现 V 为 N 的功用角色的“有 N V”结构容易成立，而 V 为 N 施成角色的“有 N V”结构一般则较难成立。

（2）a. 现在条件好了，我们都有房子住。　　b. ?? 我们都有房子盖。

（3）a. 孩子们都有衣服穿，不用买新的了。　　b. ?? 他有衣服做。

（2）中“住”是“房子”的功用角色，“盖”是“房子”的施成角色，前者成立而后者不自然；（3）中“穿”是“衣服”的功用角色，“做”是其施成角色，“有衣服穿”

自然而“有衣服做”不自然。再者，（18）中的例子也一样，“看”是书的功用角色，“写”是书的施成角色，前句成立，而后者较难成立。

（18）a. 王梅有书看，这本杂志借给你吧。　　b. ?? 王梅有书写，晚上睡不了觉。

另外，在（4）、（5）中，（4a）、（5a）中的“开”和“用”分别是“车”和“电话”的功用角色，句子成立，但（4b）、（5b）的“洗”和“接”虽然不是“车”的施成角色，但也不成立。

（4）a. 他大学一毕业就有车开。　　b. ?? 他有车洗。

（5）a. 小王有电话用。　　b. ?? 小王有电话接。

袁毓林（2013）根据汉语的词汇语义特点拓展了名词的语义描述方法，增加了容器角色、行为角色、处置角色等物性角色，与这里的描写有关联的是处置角色。处置角色指“人对名词所指事物的惯常性动作、行为和影响”。比如，“洗”可以看作“车”的处置角色，“接”也可以看作“电话”的处置角色。可以看出，V 为 N 的处置角色的“有 N V”结构若无临时语境的建构，一般也不成立。

综上，V 为 N 功用角色的“有 N V”结构一般可以成立，而 V 为 N 的施成角色或处置角色的名动搭配除非在临时建构起来的语境中，否则一般也不能构成“有 N V”结构。换句话说，V 为 N 功用角色的“有 N V”结构能产性高，而 V 为 N 其它角色的搭配则能产性低。

四、“有 N V”结构的两种用法及其与“有 N”形式的互换可能性

4.1 “有 N V”结构的非隐喻义用法与隐喻义用法

接下来我们探讨“有 N V”结构在实际语料中的使用情况。前文我们已经指出，“有 N V”结构表达“主体 X 有持续、重复地对 N 进行 V 的权利”的意思。通过对语料库中的实例进行考察可以发现，“有 N V”结构的使用首先离不开前文文脉中对“N 的现实存在”的描述，比如（19）-（20）。

（19）（前两天听张敏代表说，使馆车库里还存放着新华社的一辆小轿车，而且还说，只有他记得这辆车是新华社的财产，是新华社当年撤退时存放在使馆的。“说不定开出来修一修,你们还可以用。”）我们特别高兴，我这个车迷更是喜出望外，心想在喀布尔我们也有车开了。

（20）“我们每次出海回来，除了补充食物，还要交换图书，带到海上去看”，船长

王辉昌告诉我们:“我们一出海就是1个月,过去业余时间就是玩麻将打扑克。自从前年镇上建起了海上图书馆,我们有书看了,既充实了业余生活,又长知识,没有人玩麻将、打扑克了。”

(21)今年3月,河北省少管所留下了刘九令的足迹。他的红军传统报告,使少年犯的心灵受到了很大触动。一名叫刘杰的少年犯给刘九令写了一封长信,摆出了他心中的许多困惑:你是老红军,有车坐、有钱花,不愁吃、不愁住,干嘛还到村里去受苦?

(19)-(21)中波浪线部分都表明了“N的客观存在”,如(19)“新华社的小轿车”,(20)“海上图书馆”里的图书,以及(21)以“老红军”的身份暗示“车”“钱”的存在,这些例子中前文“N的客观存在”为主体X对N进行V的动作提供了条件,使得“有NV”结构的使用成为可能。

不过,还有一类句子,如(22)-(24),因为名词成分N表达的概念较抽象,所以“有NV”结构的使用不是以前文文脉中“N的客观存在”为前提,而需要一种与“有NV”结构整体语义相关的背景信息(如下文波浪线部分),这里的“有NV”结构通常具有隐喻义。

(22)我们是为人民服务的,常讲要办实事,在我这里最大的实事就是把亏损企业搞活,让职工有工资拿。

(23)他要你切莫在此死守,白送性命,八叔,快带着你的弟兄们跟我去,既可保住性命,又有官做,八叔,赶快跟我走吧,莫辜负咱们副将大人的一番好意!

(24)鲁豫:你哪来那么多时间跟精力呢?

吴宗宪:对啊,真是没有觉睡,有时候也会心疼自己,应该给自己一些休息时间了。

(22)“把亏损企业搞活”,创收之后才能使职工“有工资拿”,这里的“有工资拿”不是指具体的“拿工资”,而是“有收入”的意思;(23)“快带着你的弟兄们跟我去”“莫辜负咱们副将大人的一番好意”暗示了有副将大人的提携,这会使主体“你”“有官做”,即“当官发财”;(24)的对谈中鲁豫所说“你哪来那么多时间跟精力”意味着“你没那么多时间跟精力”,吴宗宪顺着其所说承认“没有觉睡”,换句话说就是“得不到休息”的意思。可以看出,这与(19)-(21)类句子十分不同。桥本永贡子(1994、1996)曾以“有饭吃”“有戏看”等几个例子为证指出“有N V”结构与隐喻有较大的关联。比如,其指出(25a)的“没饭吃”表示“无法维持生命,活不下去”的意思,(25b)的

“没有戏看”隐喻“没有消遣”“没有热闹”。

（25）a. 我管钱的话，到月底没饭吃的。

b. 新仇人之间埋下一根引信，将来他不愁没有戏看。　（桥本 1996）

橋本（1994、1996）一早就指出“有 N V”结构与隐喻的关联很具有洞察力，但正如本节所示，并不是所有的“有 N V”结构都与隐喻相关，总结来说，“有 N V”结构有非隐喻义用法如（19）-（21），也有隐喻义用法如（22）-（24），在实际语料中，非隐喻义用法的“有 N V”结构的使用一般以“N 的现实存在”为前提，而隐喻义用法的“有 N V”结构在前后文脉中更需要与“有 N V”结构整体语义相关的背景信息的描述。

4.2 与“有 N”领有句的互换可能性

关于“有 N V”结构，还有一个常常令人困惑的地方就是其与“有 N”领有句的互换问题（2.2.1 节曾谈及的（11）、（12）、（13）与此问题相关）。“有 N V”结构与“有 N”领有句有时看起来可以互换，如（26），有时则不能互换，如（27）、（28）。（27）中，“有 N”领有句自然，“有 N V”结构不自然，（28）中，“有 N”领有句不自然，而“有 N V”结构自然。

（26）a. ok 孩子还有衣服呢，不用给他买新的了。

b. ok 孩子还有衣服穿呢，不用给他买新的了。

（27）a. ok 糟糕，下起雨来了，我没有伞。

b. * 糟糕，下起雨来了，我没有伞打。

（28）a. ??去草原旅游真好，不仅有烤全羊，还有马，好不惬意。

b. ok 去草原旅游真好，不仅有烤全羊吃，还有马骑，好不惬意。

我们在 4.1 节曾指出，“有 N V”结构有非隐喻义用法和隐喻义用法两种，但是，如（22）’-（24）’所示，隐喻义用法的“有 N V”结构一般都不能换为“有 N”领有句，因为二者语义相差较远。

（22）’ ?? 我们是为人民服务的，常讲要办实事，在我这里最大的实事就是把亏损企业搞活，让职工有工资。

（23）’ *他要你切莫在此死守，白送性命，八叔，快带着你的弟兄们跟我去，既可保住性命，又有官，八叔，赶快跟我走吧，莫辜负咱们副将大人的一番好意！

（24）’ *鲁豫：你哪来那么多时间跟精力呢？

吴宗宪：对啊，真是没有觉，有时候也会心疼自己，应该给自己一些休息时间了。

相比之下，与“有 N”领有句互换可能的是非隐喻义用法的“有 N V”结构。上述（26）-（28）中涉及的“有 N V”结构确实都是非隐喻义用法，但如其所示，也并不是所有非隐喻义用法的“有 N V”结构都能与“有 N”领有句互换，这涉及二者的语义与当下语境的匹配问题。

首先，我们先看（26）。（26a）的前句表述孩子对衣服的物权的所有，（26b）前句的“有衣服穿”根据本文的分析，表达“孩子处于可以对衣服重复地、持续地实施‘穿’这一动作的状态”，即孩子“对衣服‘穿’权利的领有”的意思，（26a）与（26b）的前句都与后句“不用给他买新的了”意思紧密关联，有因果关系，因此二者都能成立。

与此相对，在（27）中，（27a）“有 N”领有句成立，（27b）“有 N V”结构不成立是因为，“糟糕，下起雨来了”这一语境说明说话人当下意识到外界从无雨到有雨的瞬间变化，在这一瞬间，主体“我”第一反应到没有雨具，即表达（27a）的“没有伞”较自然。而（27b）“没有伞打”表示主体“我不处于可以重复地、持续地打伞的状态”的意思，该语义与当前的语境没有直接关联，所以不自然。去掉“糟糕，下起雨来了”这一语境后可以看到（27）’ b 的接受度有所提高，当把其放在一个与“有 N V”结构本身语义吻合的语境中后，句子就更加自然，如（27）” b。

（27）’ b. ?我没有伞打。

（27）” b.（表演课上有用伞的场景，道具伞都被同学拿走了）

大家把伞都拿走了，我没有伞打了。

（27）” b 中，因为道具伞都被同学拿走了，导致“我没有用伞的可能性”，“有 N V”结构的语义与当前语境相符，所以句子可以成立。

同样地，（28a）不自然而（28b）自然的情况也可以得到合理的解释。在（28）中，“去草原旅游”的语境表明有一些体验项目提供给主体“游客”（文中未出现，但可依据语境判断），然而（28a）只表述“有烤全羊”、“有马”，没有表达出游客的参与，母语者会感觉缺少了点什么,所以较不自然；但在（28b）中，使用“有 N V”结构表达了游客处于可以吃烤全羊或骑马的一种状态，体现了游客的参与，因此句子更自然。

综上所述，与“有 N”领有句存在互换可能性的是非隐喻义用法的“有 N V”结构，而且具体是否能互换还依赖于二者的语义与当下语境的匹配情况。与“有 N”领有句相比，“有 N V”结构的语义特点突出表现在动词 V 的语义呈现上。若当下语境句子的解读离不开 V 的语义支持时，就必须使用“有 N V”结构；反之，当下语境排斥 V 时则不能使用“有N V”结构。再者，若当下语境对V的语义添加不要求也不排斥时，“有NV”结构与“有N”领有句都能使用。

五、结语

本文从“有N V”结构构成成分的形式、语义及N与V的搭配限制等方面出发，首次对“有NV”结构进行了较详尽的语法描述，并着重分析了“有NV”结构的语义特性与能产性问题。首先，基于对“有NV”结构构成成分的形式与语义考察，我们认为该结构表达“主体X处于可以重复、持续对N进行V的状态”的语义，并据此对“有N V”结构认可度高低不同的现象做出了较明确的解释说明。在此基础上，通过采用生成词库论的物性结构的观点，进一步对“有NV”结构的能产性问题进行了概括总结，即V为N的功用角色的“有NV”结构能产性高，而V为N的施成角色或处置角色等其他角色的“有NV”结构能产性则较低，这些句子需要临时语境的建构才能成立。此外，本文还探讨了“有NV”结构在实际使用过程中的两种用法，即隐喻义用法与非隐喻义用法，在实际语料中，非隐喻义用法的“有NV”结构的使用一般以“N的现实存在”为前提，而隐喻义用法的“有NV”结构在前后文脉中更需要与“有NV”结构整体语义相关的背景信息的描述。最后，本文还探讨了“有NV”结构与“有N”领有句的互换问题，指出只有非隐喻义用法的“有NV”结构才能与“有N”领有句互换，而二者具体能否互换还依赖于当前语境是否“要求”或“排斥”“有N V”结构中V的语义的呈现。

附注

1) 一直以来学界对各类“有”字句关注颇多，如刘丹青（2011），赵春利、石定栩（2011），温锁林（2014），王灿龙（2016）等聚焦“有”字领有句、主谓间“有+NP/VP”结构等，但目前为止关于“有NV”结构的研究几乎没有。

2) “有N V”结构中的名词成分也可以是“形容词+N”的形式，如“现在我们都有宽敞的房子住了（刘月华等2001）”，但一般为光杆名词，不能是数量短语或“指示词+数量短语”形式。

3) Li & Thompson (1980) 把（10）这样的句子看作为“serial verb construction”中的一个类别，称为“irrealis descriptive clauses ”。在V表示的动作是否irrealis这点上，“有NV”结构与（10）相同，但二者的具体意义不同，请参看后文2.2.3节。

参考文献

Li, Charles N & Sandra A. Thompson 1980 *Mandarin Chinese: A Functional Reference Grammar.*

刘丹青 2011, “有”字领有句的语义倾向和信息结构,《中国语文》第2期：99-109.

刘月华，潘文娱，故韡 2001，《实用现代汉语语法（增订本）》，北京：商务印书馆.

吕叔湘 1999/2009，《现代汉语八百词（增订本）》，北京：商务印书馆.

Pustejovsky, James 1995, *Generative Lexicon.* Cambridge, MA: The MIT Press.

橋本永貢子 1994，日本語と中国語の名詞句構造について：「V（する）Nがある」と“有NV”を通しての語用論的考察，《岐阜大学教養部研究報告第30号》.

橋本永貢子 1996，“有NV”再考，《岐阜大学教養部研究報告第34号》.

施春宏，李聪 2018 “来＋NP”的构式特征及其能产性，《当代修辞学》第2期: 19-35.

王灿龙 2016，“有”字结构式的语义偏移问题，《语法研究与探索（十八）》，北京：商务印书馆.

温锁林 2014，从“含蓄原则”看“有+NP”的语义偏移现象，《中国语言学报》，北京：商务印书馆.

杨凯荣 2013，从表达功能看“了”的隐现动因，《汉语学习》第5期.

袁毓林 2013，基于生成词库论和论元结构理论的语义知识体系研究，《中文信息学报》第6期.

袁毓林，李湘，曹宏，王健 2009，“有”字句的情景语义分析，《世界汉语教学》第3期: 291-307.

张豫峰 1996，光杆动词句的考察，《汉语学习》第3期.

赵春利，石定栩 2011，主谓间“有＋NP/VP”的句法语义研究，《语言学论丛（第四十四辑）》，北京：商务印书馆.

朱德熙 1982，《语法讲义》，北京：商务印书馆.

“(S)+介词+O+情感谓词”构式研究

黄勇
(浙江师范大学)

摘要：情感表达不仅在母语者的语言生活中占据很大比重，在二语习得者的二语语言生活中也占据很大比重，而由于二语和母语之间在情感表达方面存在一定差异，使得二语习得者很难掌握好情感表达的构式。本文以由“对”、“为”、“替”三个介词引导的情感构式为研究对象，通过实例的分析，发现“对”字和“替”字情感构式具有“单指向性”，其情感释放相对主动，而“为”字情感构式则具有“双指向性”，既可表达相对主动的情感释放，也可表达相对被动的情感释放。

关键词：介词；情感谓词；程度副词；情感构式；构式义

一、引言

围绕情感这一语义范畴的构式研究，虽为数不多，但近年有不断受到关注的趋势。例如国内学者当中，有潘震（2014）、黄勇（2019）等相关研究。潘震（2014）一文指出，汉语的情感构式可概括为“情感本体构式”和“情感固化构式”。黄勇（2019）选取了情感构式当中的“SVO 型”作为研究对象，对其情感谓词和宾语类型进行了考察和分析。此外，日本学者大河内康宪（1991）、古川裕（2003）、木村英树（2017）也对汉语的情感构式进行了研究。大河内康宪（1991）主要论述了现代汉语的情感表达在致使构式中的具体表现。古川裕（2003）主要论述了感受谓语句中“叫 / 让 / 使 / 令”字句和“为”字句之间的语态变换。木村英树（2017）将汉语的情感构式分为三种类型，并总结出每种类型中能出现的情感谓词汇的特征。

本文将在前人研究的基础上，选取使用介词的情感构式作为研究对象。我们发现常见的有以下三类构式：

I “(S)+对+O+情感谓词”构式

II “(S)+为+O+情感谓词”构式

III “(S)+替+O+情感谓词”构式

与其相对应的例句可列举如下：

（1）我讨厌这么说，但这次我对你很失望。（BCC）

（2）看到你现在在名牌大学，真为你高兴。（BCC）

（3）看到你出书，替你高兴。（BCC）

我们将以上介词前的 S 称为〈情感主体〉，即情感体验的经历者。这一点是毫无争议的。但关于介词后的 O，很多学者认为其是诱发情感的一种成分，如在“为”字情感构式当中，古川（2003）将介词后的成分称为〈感受起因〉，木村（2017）将其称为〈刺激体〉，例句分别列举如下：

（4）老韩为妻子的通情达理十分感动，说“你真是好老婆。”（古川 2003:32）

（5）她为这种情况很焦急。（木村 2017:157）

我们发现，上述两个例句与例句（2）虽然同属于“为”字情感构式，但两者存在细微的区别，首先，例句（4）和（5）中的情感谓词前分别紧贴着程度副词“十分”和“很”，然而例句（2）中的情感谓词并未紧贴着情感谓词，且一般情况下“为你很高兴”是无法成立的。其次，例句（2）中的“为”字可替换成“替”字，而例句（4）和（5）则不可，即以下两句很难成立。

（4'）*老韩替妻子的通情达理十分感动，说“你真是好老婆。”

（5'）*她替这种情况很焦急。

以上陈述的是程度副词所处位置的问题，但如果我们从汉语作为第二语言教学的视角来看的话，程度副词的位置问题固然是一大难点，但汉语学习者首先面临的一大难题要数情感谓词与各情感构式匹配的问题，即哪些情感谓词可进入这三类构式。

综上所述，本文将主要解决以下三个问题：

① 哪些情感谓词可进入本文考察的三类构式。

② 以上三类构式中程度副词所处的位置问题。

③ 以上三类构式所表达的构式义分别是什么。

二、情感谓词的界定与收集

2.1 以往的研究

情感谓词一般分为情感动词和情感形容词。关于情感动词，以往的研究一般都将其看作心理动词，如周有斌，邵敬敏（1993）、丰竞（2003）等。近年，有将情感动词单独分出来的趋势，如宋成方（2012）通过问卷调查的方式归纳出一个包含 67 个词语的情感动词列表，并根据语法特征将它们主要分成三类：

第一类（34 个）：懊悔、抱歉、不怕、不畏、惭愧、诧异、吃惊、担心、担忧、反感、顾忌、顾虑、害怕、后悔、欢喜、悔恨、惊奇、惊讶、惊异、满意、气愤、气恼、庆幸、生气、讨厌、痛心、惋惜、无愧、欣慰、兴奋、厌烦、遗憾、忧虑、中意

第二类（25 个）：爱、爱慕、爱惜、恻隐、崇拜、妒嫉、妒忌、感激、恨、怀念、嫉妒、忌妒、敬畏、敬仰、可怜、怜悯、怜惜、疼爱、同情、痛恨、喜爱、羡慕、心疼、怨恨、憎恨

第三类（5 个）：打动、感动、伤害、委屈、振奋

其他（3 个）：纠结、恋恋不舍、难割难舍

宋成方（2012:13）认为这三类情感动词的共同特征是：1）能进入“很+__+宾语”结构；2）后面能够加“着”；3）单说不需要加“了”；4）后面能够直接跟语气词；5）能够用“不”否定。此外，除共同特征以外，第一类动词还具有 6 项共同的语法特征；第二类动词还具有 8 项共同的语法特征；第三类动词还具有 7 项共同的语法特征。可见，宋成方（2012）的分类十分细致，对我们的研究有大的参考价值。但从对外汉语教学的角度去看的话，这个分类以及其语法特征则会出现一些不足，如若按共同特征 1），汉语学习者则可能会造出以下例句：

（6）*我很吃惊这件事。

（7）*我很生气这件事。

关于情感形容词，在现代汉语语言学研究中已经是一个比较确定的类别，如卢莹（2002）、赵春利（2007）和赵春利，石定栩（2011）已经对情感形容词的形式判别标准以及语义特征等方面进行了分析。在此基础上，宋成方（2015:65）通过问卷调查的方式归纳出一个包含 81 个词语的情感动词列表，并根据语法特征将它们主要分成两类：

第一类（73 个）：欣喜、骄傲 1、窘迫、惊恐、惆怅、无奈、郁闷、伤心、委屈、悲伤、悲痛、兴奋、愤怒、沮丧、愉快、不满、哀伤、哀痛、哀怨、悲哀、悲愤、不快、不平、沉痛、愁苦、愁闷、得意、动情、烦闷、烦恼、烦扰、烦躁、负疚、感伤、高兴、欢乐、欢喜 a、欢悦、激动、焦急、焦虑、绝望、开心、恐慌、苦闷、苦恼、快乐、乐意、难过、难堪、内疚、愧疚、伤悲、伤感、失落、失望、痛苦、喜悦、心酸、羞惭、羞愧、羞怯、忧愁、忧烦、自豪、糟心、烦心、称心、焦心、闹心、不耐烦、愤慨、忧伤；

第二类（7 个）：懊丧、低落、亢奋、激昂、焦躁、激奋、情绪高涨；

其他（1个）：兴致勃勃

之所以将它们分成两类，宋成方（2015:63）认为是因为第二类与第一类相比，有下面3个方面的不同：

第一，它们的主语是“主观物”，如：

（8）就这样，小五的思想包袱越背越重，情绪显得非常低落，整体垂头丧气地一个人坐在小酒馆里喝闷酒，醉了就一个人跑到村……

第二，它们的使动用法也需要它们的“小主语”的出现，如：

（9）提议食用水果时必须有所节制。一位传记作家写道：“吃水果的确会使人情绪低落，而且往往是患斑疹伤寒的原因。”

第三，它们作定语时，其中心语也多为“主观物”，如：

（10）俩人还反复向冯某介绍肺癌的相关治疗知识。经过多次交谈，冯某低落的情绪变得平和，并主动配合治疗。

可见，宋成方（2015）对情感形容词进行了更加精细的分类。他在筛选情感形容词过程中，首先使用的是下面两条标准：

a）很__

b）*很__宾语

但很多语言事实告诉我们，有一部情感形容词也具有带宾语的能力，如孔兰若（2014）通过CCL语料库调查了情感形容词带宾语的情况，得到可以带宾语的情感形容词54个，其中带宾语能力强的情感形容词有如下例子：

不满（321）、恶心（13）、烦$_1$、烦$_2$（36）、激动（12）、恐惧（26）、平静（10）、愉悦（19）、振奋（1294）

2.2 情感谓词的收集

孔兰若（2014）的研究给我们很大启示，但汉语当中有很多词兼有动词和形容词的特性，如上例中的“烦”、“振奋”等词具有很浓厚的兼类词色彩，我们无法判断其进入“很__宾语”结构时，到底是动词还是形容词。因此本文对能进入“(S)+介词+O+情感谓词”构式中的谓语不分其词性，统称为“情感谓词”。另外，关于情感谓词的判别标准，固然前人所给出的句法上的判别标准很重要，但我们认为从意义上去判别更为重要，即使我们很难给出一个确切的定义，正如Shaver, Wu & Schwartz（1992:177）论述道：

Despite an enormous increase in research on emotions in recent years, there is still no widely accepted definition of *emotion*. As Fehr and Russell (1984, p. 464) observed, “Everyone knows what an emotion is, until asked to give a definition.” Despite this lack of consensus, subjects in Fehr and Russell’s studies (and in subsequent studies conducted in other countries; see references in Shaver et al., 1987) largely agreed on which of a long list of psychological states are, and which are not, good examples of the category.

从上述这段话中，我们可以得知，每个人都知道情感是什么，但很难给出一个被广为接受的定义。然而，本族语使用者对于哪些词语可以表达典型的情感，有大致统一的认识。

综上所述，我们通过内省的方法，首先对《新汉语水平考试大纲》中的词汇进行检测，得出 74 个可进入“(S)+介词+O+情感谓词”构式的情感谓词。此外，通过对先行研究的参考以及笔者的语言生活经验，补充了 9 个可进入此情感构式的情感谓词。最终归纳出一个包含 83 个可进入此情感构式的情感谓词列表：

表 1 可进入“(S)+介词+O+情感谓词”构式的情感谓词

<table>
<tr><td rowspan="6">新汉语水平考试大纲</td><td>一级</td><td>爱、高兴、喜欢</td></tr>
<tr><td>二级</td><td></td></tr>
<tr><td>三级</td><td>担心、放心、关心、害怕、难过、生气、着急</td></tr>
<tr><td>四级</td><td>抱歉、吃惊、烦恼、感动、害羞、后悔、激动、骄傲、紧张、开心、可怜、伤心、失望、讨厌、同情、羡慕、兴奋、尊重</td></tr>
<tr><td>五级</td><td>爱惜、不安、惭愧、发愁、恨、怀念、慌张、灰心、满足、佩服、热爱、疼爱、痛苦、无奈、想念、遗憾、自豪、尊敬</td></tr>
<tr><td>六级</td><td>爱戴、悲哀、崇拜、崇敬、反感、愤怒、感慨、关怀、悔恨、急躁、嫉妒、焦急、惊奇、惊讶、沮丧、绝望、恐惧、留恋、藐视、蔑视、恼火、思念、惋惜、心疼、欣慰、着迷、震惊、自满</td></tr>
<tr><td colspan="2">笔者内省</td><td>愁、烦、烦躁、甘心、满意、怕、心痛、嫌弃、郁闷</td></tr>
</table>

三、“(S)+介词+O+情感谓词”构式的内部考察

3.1 情感谓词与构式的匹配

I“(S)+对+O+情感谓词”构式：

我们对表 1 中的 83 个情感谓词进行检测，发现可以进入“对”字情感构式的有 76 个，大约占整体的 92%，可见，此构式可接受情感谓词的能力极强。我们将这 76 个情感谓词进行语义上的分类，可得出 19 个义项，请看下表：

表 2 可进入“对”字情感构式的情感谓词

分类	词例
“失望”类	灰心、绝望、失望
“吃惊”类	吃惊、惊奇、惊讶、震惊
“满意”类	满意、满足、欣慰
“后悔”类	甘心、后悔、悔恨、惋惜、无奈、遗憾
“放心”类	放心
“惭愧”类	抱歉、惭愧、害羞
“生气”类	愤怒、生气
“担心”类	不安、担心、紧张
“感动”类	感动、感慨、激动
“骄傲”类	骄傲、自豪、自满
“烦恼”类	发愁、烦、烦恼、烦躁、焦急、恼火、郁闷、着急
“同情”类	关怀、关心、可怜、心疼、同情
“怀念”类	怀念、留恋、思念、想念
“羡慕”类	崇拜、崇敬、佩服、羡慕、尊敬、尊重
“喜欢”类	爱、爱戴、爱惜、热爱、疼爱、喜欢、着迷
“讨厌”类	反感、恨、嫉妒、藐视、蔑视、讨厌、嫌弃
“害怕”类	害怕、恐惧、怕
“高兴”类	高兴、开心、兴奋
“难过”类	沮丧、难过

木村（2017）将可进入“对”字情感构式的情感谓词概括为“失望、惊叹”类，举例如“失望”、“吃惊”、“惊讶”、“灰心”等词。但从表 2 我们可以看出，除了木村（2017）例举的词例以外，还存在其他类的情感谓词，如“满意”、“后悔”两词也容易进入“对”字情感构式，请看下面两个例句：

（11）杨月花对现在的生活很满意。（CCL）

（12）如今，陈道明对此非常后悔。（CCL）

我们发现以上两个例句中的情感谓词前都附带程度副词，如果将其去掉的话，整个句子则会显得很不自然，请看以下两个例句：

（11'）?杨月花对现在的生活满意。

（12'）?如今，陈道明对此后悔。

由此可见，进入此构式中的情感谓词的形容词性质较强。众所周知，在 SVO 型情感构式中，情感谓词前一般不附带程度副词，比如用汉语告白时，我们一般说“我喜欢你”，而不是“我很喜欢你”。但同时，我们也发现，“喜欢”这一词也可以进入“对”字情感构式，如有以下这样的例句：

（13）他对这个绰号很喜欢。（CCL）

我们发现例（13）中的情感谓词“喜欢”前也附带程度副词“很”，同例（11）和（12）一样，如果将其去掉，整个句子也会显得不自然。

（13'）?他对这个绰号喜欢。

可见，“喜欢”这一情感谓词在这两种构式中所受的限制是不一样的，即在 SVO 型情感构式中，一般是以光杆形式出现，而在“对”字情感构式中，则需要在其前面附带程度副词。

实际上，“喜欢”与“对”字情感构式匹配时，比起程度副词，程度补语会显得更加顺畅。请看下面的例句：

（14）她对圣卢喜欢得不得了。（CCL）

但无论是程度副词还是程度补语，都是为了加强谓语的状态性，以符合构式的限制要求。更加有趣的是，如果在这选取单音节的“爱”、“恨”等词时，发现它们只能附带程度补语，而不能附带程度副词，如以下例句：

（15）诗人艾青写道：为什么我的眼里常含着泪水，因为我对这块土地**爱得深沉**。（CCL）

（16）这帮人平日里输得七窍生烟，对赌场**恨得要死**，巴不得有人替他们报仇雪恨。

（CCL）

如果我们将以上两例中的程度补语去掉，在其前面加上程度副词“很”的话，很显然，不符合汉语的习惯。

（15’）?诗人艾青写道：为什么我的眼里常含着泪水，因为我对这块土地**很爱**。

（16’）?这帮人平日里输得七窍生烟，对赌场**很恨**，巴不得有人替他们报仇雪恨。

此外，我们还发现，与“喜欢”类相对的一类情感谓词也可以进入“对”字情感构式，即动词性质较弱，形容词性质较强的“高兴”、“难过”等词，如有以下例句：

（17）谢非对此十分高兴。（CCL）

（18）在1990年世界杯时，我的父亲对我的处境非常难过。（CCL）

虽然语料库中存在上述例句，但是跟“失望”，“吃惊”等词相比，“高兴”、“难过”等词直接进入“对”字情感构式则会显得有点牵强。这种情况，一般需要在其前面加上“感到”或者“表示”等动词。如将以上两个例句修改如下，则会更加符合汉语的习惯。

（17’）谢非对此**感到**十分高兴。（CCL）

（18’）在1990年世界杯时，我的父亲对我的处境**表示**非常难过。（CCL）

综上所述，可进入“对”字情感构式的情感谓词既有“失望”、“吃惊”等这样的典型例，也有“喜欢”、“高兴”等这样的非典型例。同时，我们还发现，在及物性强弱方面，“失望”、“吃惊”等这样的典型例处在“喜欢”和“高兴”之间。

II“(S)+为+O+情感谓词”构式：

在问题的提出中，我们已经观察到“为”字情感构式中存在两种情况，这是由于“为”字本身的语义造成的。古川（2000）认为，“为”类词具有“双指向性”，既可以指向〈起点〉，也可以指向〈终点〉，原因义是〈起点〉指向，目的义是〈终点〉指向。在情感构式中，我们将“为”的语义定义如下：

“为$_1$”：引导刺激情感产生的存在体。（起点）

“为$_2$”：引导情感移入的对象。（终点）

由此，我们可将“为”字情感构式分类两类：“为$_1$”字情感构式和“为$_2$”字情感构式。同样，我们对表1中的83个情感谓词进行检测，发现可以进入“为$_1$”字情感构式的有36个，大约占整体的43%，可以发现，此构式可接受情感谓词的能力没有“对”字情感构式强。我们将这36个情感谓词进行语义上的分类，得出11个义项，请看下表：

表3 可进入“为$_1$”字情感构式的情感谓词

分类	词例
“烦恼”类	愁、发愁、烦、烦恼、烦躁、慌张、急躁、焦急、恼火、郁闷、着急
“担心”类	担心
“高兴”类	高兴、开心、兴奋
“难过”类	悲哀、沮丧、难过、伤心、痛苦、心痛
“骄傲”类	骄傲、自豪
“生气”类	愤怒、生气
“感动”类	感动、激动
“喜欢”类	着迷
“后悔”类	后悔、悔恨、遗憾
“吃惊”类	吃惊、惊奇、惊讶、震惊
“惭愧”类	害羞

木村（2017）将可进入“为$_1$”字情感构式的情感谓词概括为“焦躁、不安”类，并且将“焦急”作为典型例，但通过对语料库的观察，我们发现，比起“焦急”一词，“烦恼”一词出现的次数更多，如以下例句：

（19）康伟男有生以来，<u>第一次**为女孩子烦恼**</u>。（BCC）

我们发现例（19）“烦恼”前并未附带程度副词，这与“对”字情感构式是相对的，“对”字情感构式中的情感谓词前一般要附带程度副词。如果我们在“烦恼”前加上程度副词“很”，会发现有点不自然，请看下面的例句：

（19'）?康伟男有生以来，<u>第一次**为女孩子很烦恼**</u>。

同时，我们通过对语料库的调查，也未发现“烦恼”前加程度副词的“为”字句。可见，前人列举的带有程度副词的例（4）和例（5）不能算是典型的“为”字情感构式的实例。

此外，除出现率较高的“烦恼”一词以外，还存在出现率较低的例子，如“害羞”一词，在BCC语料库中仅发现一例，如下：

（20）别为身材害羞。（BCC）

例（20）固然可以成立，但如果将“为”换成“因为”，则会显得更加自然，请看

下句:

（20’）别**因为**身材害羞。

综上所述，可进入“为 $_1$”字情感构式的情感谓词既有“烦恼”这样的典型例，也存在像“害羞”这样的非典型例。

关于“为 $_2$”字情感构式，我们发现可进入此构式的情感谓词较少，总共有 17 个，大概占整体的 20%，从语义上去分类，可分为如下表中的 7 类:

表 4 可进入“为 $_2$”字情感构式的情感谓词

分类	词例
“高兴”类	高兴、开心
“难过”类	悲哀、难过、伤心
“骄傲”类	骄傲、自豪
“烦恼”类	愁、发愁、烦、烦恼、焦急、着急
“后悔”类	惋惜
“惭愧”类	惭愧、害羞
“担心”类	担心、紧张

通过对语料库的观察，我们发现能进入“为 $_2$”字情感构式的情感谓词中，出现率最高的是“高兴”，其次是“难过”，如以下例句:

（21）在我要离开美国的时候，一个美国学生对我说：“**我为你高兴**，你马上可以回到自由的中国去了。”（BCC）

（22）你应该尽一切力量争取今年考上初中。不然，**全家人也都会为你难过。**（BCC）

以上两句中，情感谓词前也没有附加程度副词，如果需要添加的话，只能加到介词“为”的前面，无法加在情感谓词前，如在语料库中，我们发现了如下例句:

（23）隆基，你长大了！**我真的很为你高兴**！（BCC）

如果将上句中的“很”移到“高兴”前，我们会发现真个句子很难成立，请看下句:

（23’）*隆基，你长大了！**我真的为你很高兴**！

这一点跟“为 $_1$”字情感构式是有所区别的，“为 $_1$”字情感构式中程度副词是可以出现在情感谓词前的。

此外，我们发现当“高兴”、“难过”这类词出现在“为”字情感构式时，若介词宾语为表人的名词时，我们很容易判断此时的“为”是“为$_2$”，即表示引导情感移入的对象之义。但如果情感谓词是“担心”类的词语的话，则很难判断，需要借助语境。

请看下面的例句：

（24）您怎么啦？您看起来心事重重的。<u>我很**为你担心**</u>！（BCC）

例（24）中，通过上下文我们可以判断出此处的“你”是情感移入的对象，而并非刺激情感产生的存在体，此句中的“为”我们可以替换成“替”，请看下句：

（24'）您怎么啦？您看起来心事重重的。<u>我很**替你担心**</u>！

同时，语料库中还存在如下的例句：

（25）“那么，生活必很像个样子了。老实说，远远的想象着，<u>我们**为你很担心**</u>。”（BCC）

例（25）中的“为”则是“为$_1$”，表示刺激情感产生的存在体，此处不可将“为”换成“替”，请参考下面的句子：

（25'）*“那么，生活必很像个样子了。老实说，远远的想象着，<u>我们**替你很担心**</u>。”

综上所述，如果仅是“我为你担心”，我们很难判断出其是“为$_1$”还是“为$_2$”。因此，我们将“担心”类作为可进入“为$_2$”字情感构式中的情感谓词的非典型例，而将“高兴”类和“难过”类作为典型例。

III“(S)+替+O+情感谓词”构式：

关于“替”字情感构式，伊藤（2012）认为“高兴”、“着急”这些词经常与此构式共现，并举例如下：

（26）哈哈，汪苏泷在QQ音乐上排行榜第一啦。呼呼，<u>真替他高兴</u>，他也一定很高兴吧。（伊藤 2012:32）

（27）现在的孩子连颗卷心菜都不会买，<u>我真替你们着急啊</u>！（伊藤 2012:33）

我们对语料库的调查，也发现“高兴”、“着急”这类词的出现率很高，此外还有“开心”、“难过”等词也较常出现。

同时，我们对表1中的83个情感谓词进行检测，发现可进入“替”字情感构式的情感谓词基本上和可进入“为$_2$”字情感构式中的情感谓词一致，如下表：

表5 可进入“替”字情感构式的情感谓词

分类	词例
“高兴”类	高兴、开心
“难过”类	悲哀、难过、伤心
“烦恼”类	愁、发愁、烦、烦恼、焦急、着急
“担心”类	担心、紧张
“后悔”类	惋惜
“惭愧”类	惭愧、害羞
“骄傲”类	骄傲、自豪

虽然“为 $_2$”字情感构式中的介词“为”基本上都可以用“替”字来替换，但当情感谓词为“骄傲”类词语时，转换成“替”字句则会显得有点不自然，实际上语料库中“替”字句中出现“骄傲”类词语的情况也极少，如以下例句：

（28）姜渭做得对，我替他骄傲。（CCL）

如果将例（28）中“替”换成“为”，我们会发现更加符合汉语的习惯，即“我为他骄傲”这样的表达更加顺畅。因此，在能进入“替”字情感构式中的情感谓词中，我们将“高兴”、“难过”作为典型例，将“骄傲”、“自豪”作为非典型例。

3.2 程度副词的位置

通过观察以上的例句，我们可以发现本文考察的三类情感构式中，程度副词所处的位置有所不同。首先，在“对”字情感构式中，我们发现程度副词一般出现情感谓词之前，如以典型词“失望”为例，有如下例句：

（29）我对他**很**失望。（CCL）

如果将程度副词“很”移到介词“对”之前的话，整个句子则无法成立，如下句：

（29’）*我**很**对他失望。

上句之所以不能成立，我们认为“对”字短语本身的可移动性造成的，吕叔湘（1999）认为“对…”可用在助动词、副词的前或后，也可用在主语前（有停顿），意思相同，比如：

（30）a.大家都～这个问题很感兴趣。

b.大家～这个问题都很感兴趣。

c.～这个问题，大家都很感兴趣。（吕叔湘 1999:183）

由此，例（29）可做如下转换：

（29’’）对他，我**很**失望。

很显然，上述例句是可以成立的，但如果像（29’）一样“很”直接修饰介词“对”的话，移到句首则无法成立。

（29’’’）***很**对他，我失望。

综上所述，在“对”字情感构式中，程度副词只能紧贴在情感谓词之前，无法出现在“对”之前。

其次，在“为”字情感构式中，无论是“为$_{1}$”还是“为$_{2}$”，程度副词一般出现在介词前，如以下例句：

（31）鲁迅先生**很为这**一重大收获高兴，在他的书信集中，我们可以看到，他当时写信给远在苏联的朋友说：我们有《子夜》，他们写不出。（BCC）

（32）对于《荆轲刺秦王》入围奥斯卡最佳外语片的消息，巩俐说：她已从新闻中看到**很**为凯哥高兴。（BCC）

根据之前的论述，我们很容易知道例（31）是“为$_{1}$”字情感构式，例（32）是“为$_{2}$”字情感构式。若将上述两例句中的程度副词“很”移到情感谓词之前，例（31）可接受，而例（32）则不可接受，请对比以下两句：

（31’）鲁迅先生**为这**一重大收获**很**高兴，在他的书信集中，我们可以看到，他当时写信给远在苏联的朋友说：我们有《子夜》，他们写不出。

（32’）*对于《荆轲刺秦王》入围奥斯卡最佳外语片的消息，巩俐说：她已从新闻中看到，为凯哥**很**高兴。

例（31’）虽然可接受，但在实际预料中很少出现，我们找到如下例句：

（33）小姨**为这事很痛苦**。（BCC）

（34）最近他情绪很低落，原因是幼儿园的伙伴说他‘说话不算数’，不愿意跟他玩…我**为这事很着急**。（BCC）

因此，“为$_{1}$”字情感构式中，程度副词虽然以出现在介词前为主，但出现在情感谓词前也可接受，而“为$_{2}$”字情感构式中，程度副词只能出现在介词前，不可出现在情感谓词前。

最后，关于“替”字情感构式，我们已经论述过其与“为$_{2}$”字情感构式相似，因此程度副词的位置也应一致，请看如下例句：

（35）王小石道：“**很**替大哥高兴。”（BCC）

以上例句中的“很”是无法移到情感谓词“高兴”前的，因此下面的例句是不能接受的。

（35’）*王小石道：“替大哥**很**高兴。”

根据以上论述，我们可以将程度副词在这三类构式中可出现的位置总结如下：

表6 程度副词在三类构式中可出现的位置

类别＼位置	情感谓词之前	介词之前
“对”字情感构式	可	不可
“为”字情感构式	“为$_{1}$”：可（少） “为$_{2}$”：不可	“为$_{1}$”：可 “为$_{2}$”：可
“替”字情感构式	不可	可

四、“(S)+介词+O+情感谓词”构式的构式义

本文考察的三类构式都是表达情感主体的一种情感释放，但由于介词本身具有不同的特性，导致充当介词宾语的成分扮演着不同的角色。首先在“对”字情感构式中，由于“对”本身具备“单指向性”的属性，所以此构式表示，情感主体向某一对象释放一种情感，我们将其概括为：〈情感主体〉+对+〈释情对象〉+情感谓词。如“我对你很失望”表示，〈情感主体〉“我”面对〈释情对象〉“你”释放一种“失望”的情感。此构式的情感释放相对主动，也就是说，“释情对象”对〈情感主体〉释放情感这一事件未产生很大的影响。

其次，在“为”字情感构式中，由于“为”本身具备“双指向性”的属性，所以此构式可表达两种构式义，一是，“为$_{1}$”字情感构式表示，情感主体受到某一存在的刺激产生一种情感，我们将其概括为：〈情感主体〉+为$_{1}$+〈刺激体〉+情感谓词。如“我为钱烦恼”这句表示，〈情感主体〉“我”受到〈刺激体〉“钱”的刺激，产生一种“烦恼”的情感。此构式的情感释放相对被动，即“刺激体”对〈情感主体〉释放情感这一事件产生了

很大的影响。二是，“为$_2$”字情感构式表示，情感主体移情到介词所引导的对象上，我们将其概括为：〈情感主体〉+为$_2$+〈移情对象〉+情感谓词。如“我为你高兴”表示，〈情感主体〉“我”将自己“高兴”这一情感移情到“你”身上。此构式与“对”字情感构式一样，是一种相对主动的情感释放。

最后，在“替”字情感构式中，由于“替”本身具备“单指向性”的属性，且与“为$_2$”的语义相似，所以此构式也表示，情感主体移情到介词所引导的对象上，我们将其概括为：〈情感主体〉+替+〈移情对象〉+情感谓词。如“我替你高兴”表示，〈情感主体〉“我”将自己“高兴”这一情感移情到“你”身上。同样，此构式也是一种相对主动的情感释放。

五、结语

本文在情感这一语义框架内，对由介词引导的构式进行了考察。主要选取了情感表达中常用的“对”、“为”、“替”三个介词作为研究对象，我们发现“对”字和“替”字情感构式具有“单指向性”，其情感释放相对主动，而“为”字情感构式则具有“双指向性”，既可以表达相对主动的情感释放，也可以表达相对被动的情感释放。

情感是一种看不见摸不着的抽象体，在合适的情况下，以合适的形式来表达话者的情感对保持良好的人际关系有着重要的影响。如果汉语学习者能够熟练掌握情感表达的构式，在其汉语的语言生活当中定会“更上一层楼”。

参考文献

丰　竞 2003. 现代汉语心理动词的语义分析，《淮北煤炭师范学院学报》第 1 期：106-110。

古川裕 2000. 有关“为”类词的认知解释，《语法研究和探索》（十）：31-48。

古川裕 2003. 现代汉语感受谓语句的句法特点——“叫/让/使/令”字句和“为”字句之间的语态变换，《语言教学与研究》第 2 期：28-37。

孔子学院总部 2009. 《新汉语水平考试大纲》，北京：商务印书馆。

孔兰若 2014. 现代汉语情感形容词带宾语现象考察，华东师范大学硕士论文。

黄　勇 2019. 现代汉语 SVO 型情感构式研究，《中国語文法研究》第 8 期：132-146。

卢　莹 2002. 情感形容词研究，天津师范大学硕士论文。

吕叔湘主编 1999.《现代汉语八百词》(增订本),北京:商务印书馆。

潘　震 2014. 情感构式研究,《外语研究》第 4 期:18-23。

宋成方 2012. 汉语情感动词的语法和语义特征,《外语研究》第 4 期:10-18。

宋成方 2015.《评价理论视角下的情感意义研究》,北京:对外经济贸易大学出版社。

赵春利 2007. 情感形容词与名词同现的原则,《中国语文》第 2 期:125-132。

赵春利,石定栩 2011. 状位情感形容词与述位动词结构同现的原则,《汉语学习》第 1 期:12-21。

周有斌,邵敬敏 1993. 汉语心理动词及其句型,《语文研究》第 8 期:32-48。

伊藤加奈子 2012. “替～”を用いる中国語の感情表現について,『人文科学論集 文化コミュニケーション学科編』46,31-47。

大河内康憲 1997.『中国語の諸相』,東京:白帝社。

木村英樹 2017. 感情と感覚の構文論—“痛快”と“凉快”の境界—,『杉村博文教授退休記念中国語学論文集』153-176,東京:白帝社。

Shaver, P.R., S. Wu, and J.C. Schwartz 1992 Cross-cultural similarities and differences in emotion and its representation: A prototype approach. *In Review of personality and social psychology* (Vol. 13. *Emotion*), ed. by M.S. Clark, 175- 212. Newbury Park, CA: Sage Publications.

并列表达的连接

——以连词“和”的偏误分析为切入口

张恒悦

（大阪大学）

摘要： 在日语母语者作文及会话中，与并列连词“和”相关的偏误高频出现，这是受日语表示并列的「と」以及英语“and”的影响所致。本文以“和”的偏误分析为切入口，通过比较“和”与「と」以及“and”的差异，考察汉语并列结构的连接方法，从而得出以下结论：“和”的主要功能是用于名词性结构的并列连接，对于非名词性结构，汉语则多使用“零形式连接”或者“排比式连接”的方法。本文认为这两种连接方法是汉语语法的独特之处，因而对非母语者的汉语教学意义不可忽略。

关键词： 连词“和”；并列；偏误分析；零形式连接；排比式连接

一、引言

日语母语者的作文和会话中经常出现连词“和”的使用偏误。例如：

（1）*他会说汉语和英语和韩国语。（杨德峰 2008）[①]

（彼は中国語と英語と韓国語が話せます。）

（2）*她的妈妈年轻和漂亮。

（Her mother is young and beautiful.）

（3）*我们一起做和吃蛋糕了。

（We baked and ate a cake together.）

“和”表示并列关系，这些偏误表面看起来是“和”的使用问题，深层则反映了汉语并列表达的连接问题。

观察上述例句的译文，不难发现偏误的产生原因有二：一是受母语日语“と”的影响，用“和”置换“と”，如（1）；二是受第一外语英语“and”的干扰，用“和”置换“and”，如（2）（3）。由于“和”既不等同于“と”，也有别于“and”，结果产生偏误。

由此可见，这些偏误句其实是反射汉日英三种语言并列表达差异的一面镜子，那么，反过来，根据偏误研究则可以回视汉语在并列表达的连接上有别于日英两种语言的独特之处。

本文以日语母语者产出的偏误句为切入点，通过与日英两种语言的对比，探讨汉语并列表达的连接方法。以期为汉语语法研究及教学提供帮助。

二、先行研究

表示并列关系的连词“和”，几乎所有的语法著作都有收录和描写。但是，关于并列表达如何连接的问题，至今却未见讨论。

在汉语教学方面，由并列连词“和”所引起的偏误得到了一定程度的关注，而且研究者也注意到偏误与母语之间的相关性，并在汉语与外语之间做了对比。比如，汉英对比方面有赵永新（1995）、徐沛·宋春阳（2011）、高霞（2016）等，汉日对比方面有杨德峰（2008）等。然而，这些研究的视点仍然是局限于连词“和”本身，而没有展开进一步考察。

试想非母语者进行汉语产出时，不可能是先形式后语义（选定连词→考虑并列关系）的思维顺序，而应该是相反，即先有表达并列关系的意念然后寻找合适的表述形式。因此，如果站在学习者的视点，关注学习者的合理产出，那么就有必要打破连词这个框架的束缚，对汉语并列表达的连接问题加以分析和探索。

二、“和”的语法职能

张亚茹（2005）通过对《红楼梦》中并列连词的考察，指出近代汉语中的并列连词虽然有若干，但经由语言演变，到了现代汉语，特别是口语，表示并列的连词则主要归结为一个“和”。可见，连词“和”在现代汉语中的地位是得天独厚的。

尽管如此，“和”的使用范围却远远无法与英语的“and”相比。

根据 Quirk（1985）对英语中“and”的语法功能的详尽描写，“and”的功能几乎是万能的，不管什么语法成分，只要是表示并列，都不妨用“and”来连接。相比之下，“和”履行的职能是有限的，主要用于名词性成分的连接。例如：

（4）这时，山风送来一阵阵花椒和苹果的清香。

（5）现在，住宅房间里的地面有塑胶的、木质的和水泥的。

正是因为这个原因，（2）用“和”连接两个形容词“年轻”“漂亮”以及（3）用“和”

连接两个动词“做”“吃”就不符合汉语语感了。

（6）*她的妈妈年轻和漂亮。（同⑵）

（7）*我们一起做和吃蛋糕了。（同⑶）

劉月華ほか（1996）认为“和”除了名词之外，也可以连接形容词和动词。事实果真如此吗？请看该书所举的例子：

（8）他的聪明和勤奋都足以使他的志愿成为现实。

（彼の聡明さと勤勉さは共に彼の志を実現さすのに十分であった。）

（9）她作画是为了表达对正义和幸福的向往。

（彼女が絵画を手がけるのは正義と幸福に対する憧憬を表すためである。）

⑽长期艰苦的斗争和反动派的迫害，损害了鲁迅的健康。

（長期にわたる苦しい戦いと反動派による迫害は魯迅の健康を損ねった。）

⑾李勇对游泳、滑冰和射击都很感兴趣，很有研究。

（李勇は水泳やスケート，射撃のいずれにも興味があり，造詣も深い。）

（8）的“聪明”“勤奋”说的是人的素质特征，（9）的“正义”“幸福”说的是价值概念，这都与表示状态的形容词的属性相去甚远。当然，这些词也有表示状态的一面，但一般是在做谓语、补语或定语的时候。而（8）（9）则是作为主语或介词宾语出现，而且“聪明和勤奋”前面使用的是“的”尤其显示作者是把这个词组作为名词来对待的。同样，（10）中“斗争”“迫害”以及（11）中“游泳”“滑冰”“射击”也都表达的是抽象的概念或者运动分类名称，并不发挥动词的作用。众所周知，汉语与英语、日语不同，词类缺少形态标志，不管出现于哪种句法位置，其形式是不变的。然而，这并不意味着说话人对于词的把握方式是一成不变。我们认为（8）-（11）中劉月華ほか（1996）所指的形容词和动词其实是被用作名词的，这一点从其日译文中也可以得到印证。如此，使用连接名词的连词“和”便顺理成章了。

劉月華ほか（1996）的例句中，唯有一类可算得上是用“和”连接了真正的动词：

⑿政府提倡和推行计划生育。

（政府は計画出産を提唱し、且つ押し広めている。）

然而，这类动词必须是抽象意义的双音节动词，其使用范围狭窄有限，而且“和”的使用也不是必须的，常常不用（这一点后文将详细论述）。从这个意义上来说，这种用“和”连接动词的情况只是一种边缘性的特例，不宜视为其主要功能。

其实，日语中的“と”也主要用于连接名词性成分。这一点可以说是“と”与“和”

的相似性。然而，两者之间也存在差异。

(13) このキャンパスには工学部と医学部と付属病院と大学本部があります。

（寺村 1991）

（这个校区有工学部、医学部、附属医院和大学总部。—笔者译）

(14) 桃太郎は犬と猿と雉をお供に連れて行きました。（寺村 1991）

（桃太郎是带着狗、猴子和野鸡去的。—笔者译）

寺村（1991）指出，“と”是穷尽性地表示构成一个集合的所有的成员，比如，（13）中的四个成员（“工学部”“医学部”“附属医院”“大学总部”）以及（14）中的三个成员（“狗”“猴子”“野鸡”）都分别是各自集合的所有成员，通过“と”则把它们悉数列举出来。假如对一个集合的成员进行非穷尽式列举，就需要用“や”代替“と”。例如：

(15) 芋や人参を買ってきてくれ。（寺村 1991）

（买点儿芋头胡萝卜什么的[②]。—笔者译）

应该说，使用“和”来表示的集合也是一个穷尽所有成员的集合。但与“と”相比，“和”最大的特点是只出现于最后列举的一个集合成员之前。也就是说，相对于与每个集合成员相结合的“と”，“和”只通过对集合最后一个成员的连接而达到对集合所有成员的穷尽性列举。这就是（1）因多次使用“和”而成为偏误的原因。

综上所述，“和”作为连词，主要用于连接名词性表达，而且只出现于最后一个集合成员之前。因此，其职能是狭窄而单一的，远不足以支撑并列表达连接的全部。那么，汉语中其他并列表达又是如何连接在一起的呢？下面将分别予以讨论。

四、零形式连接

对于偏误句（2），修改的方法之一是去掉“和”：

(16) *她的妈妈年轻和漂亮。（同（2））

→她的妈妈年轻漂亮。

我们把这种不使用任何语言形式直接将两个词语连接在一起的方法称为“零形式连接”。

英语中“young”“beautiful”一般不宜直接相连，日语中“若い”“綺麗”也一样，需要通过词尾变换才能连接起来（例如：若くて綺麗だ）。因此，非汉语母语者的头脑中，容易产生这样一个印象：词与词的连接是需要借助某种形式来实现的。

然而，汉语的实际情况是，零形式连接被广泛使用。

（17）这首民歌形象地描绘了鄂伦春族勤劳勇敢的狩猎生活。

（18）无垠的原野在阳光照耀下显得分外宁静美丽，空气中飘溢着泥土和野草的清香。

（19）而且还应一个乡一个乡地调查研究，制定规划。

（20）蓄电池的容量还有限，还没有普及推广。

以上例句显示，不仅是形容词（(17)（18)），动词（(19)（20)）也可以用零形式来连接。

虽然如此，零形式连接并不是随意无条件的。这里，我们要指出零形式连接受到韵律束缚的一面。

一般来说，如(17)-（20）所示，双音节的形容词或动词使用零形式连接是自由的，只要语意上不发生冲突，大都可以成立。

而且，双音节词的并列在长度上也很自由。两项并列最为常见，三项以上并列也无妨。不过，三项以上并列时，倾向于用顿号或逗号将每一项隔开，口语表达上则体现为停顿。

（21）他们都像其父那样，朴素、刻苦、厚道。

（22）掌上电脑是一种运行在嵌入式操作系统和内嵌式应用软件之上的小巧、轻便、易带、实用、廉价的手持式计算设备。

值得一提的是，音节数超过两个音节的话，动宾结构、动补结构等超词语成分也都可以采用零形式连接来表示并列。

（23）我们是讲信用，重承诺，昭大信于天下的。

（24）菲利普博览群书，游泳，打网球，还去驾舟游览。

例（23）中是三音节并列，例（24）中是四音节、双音节和三音节的并列，都不成问题。也就是说，当并列项的音节数超过二时，零形式连接是自由的。

相比之下，如果有单音节出现，则会出现限制。

首先，单音节不适合与双音节零形式连接，需要向双音节调整长度，否则将无法成立。

(25)*他每天的生活忙充实。

→他每天的生活忙碌充实。

(26)*大家在洗打扫厨房。

→大家在清洗打扫厨房。

另外，单音节词语两项并列也是非自由的。在很多情况下，难以成立。比如：

(27)？他总是吹拉，很快活。

(28)*上帝之城是真善的世界。

(27)中的“吹拉”接受度很低，而(28)的“真善”除了接受度低以外，还有误解的可能，即理解为偏正结构：“真的善”。

有一些看上去似乎是单音节词的两项并列，比如(29)中的“高大”和(30)中的“说笑”，然而，这两个词其实是已经入选《现代汉语词典》的联合性双音节复合词。因此，这些词与其说是单独的两个单音词的并列，不如说是合二为一的凝固性的一体，并不足以证明单音节词两项并列的合理性。

(29)也许因为他一直比别人高大，他相信他应该多做些事。

(30)众人不再说笑，所有的目光皆齐齐盯着前方的路。

但是，单音节词如果有三项或者四项并列，则可以成立。试比较：

(31) a 你要把这个球快狠准地抽过去。

b 你要把这个球快稳狠准地抽过去。

(32) a 他总是吹拉弹，很快活。

b 他总是吹拉弹唱，很快活。

汉语中双音节作为自然韵步以及三音节作为超韵步在汉语语法体系中所起的重大作用，这在冯胜利(2000)有详细的论证和说明。不过，该书没有提到到韵律对并列结构连接的影响。我们认为，汉语中零形式连接之所以广泛使用，是以没有形式标识的韵律规则为基础的。也就是说，汉语的韵律规则，实际上赋予汉语母语者以精准切分词语边界的能力。根据韵律，即使在没有任何显示其词语边界的功能词的连续性语流中，也能成功地对之进行切分和理解。然而，这种零形式连接可谓汉语独特之处，非母语者不易察觉，特别是与之相随的韵律规则更不易察觉，教学中需要同时予以充分的注意。

五、排比式连接

前一节谈到音节长度不等的情况下，需要向双音节作出长度调整，但这只是在说明如何进行零形式连接的前提下。其实，对于音节不等的情况，也可以采用另类方法来连接。

(33)＊他每天的生活忙充实。（同(25)）

→他每天的生活很忙很充实。

→他每天的生活特别忙特别充实。

→他每天的生活非常忙非常充实。

如上述诸例，当音节长度不等的形容词并列时，通过添加相同的程度副词是可以合法连接的。

但是，程度副词如果不相同，则不自然。

(34)？a 他每天的生活很忙非常充实。

？b 他每天的生活特别忙非常充实。

其实，程度副词之外的其他副词也具有相同的作用。

(35) 他每天的生活也忙也充实。

(36) 他每天的生活的确忙的确充实。

而其中使用频率最高的为“又”，以至于“又……又……”几乎凝固为一个固定句式。

(37) 他每天的生活又忙又充实。

另外，在形容词后添加相同的补语也可以使之成立。

(38) 他每天的生活忙极了充实极了。

这里，我们把如上所示的在并列词语中添加相同的词语而进行的连接方法称为“排比式连接”。

这种添加相同词语的方式，从认知角度看，可以理解为一种形式标志。如果单纯为了表示词语自身的意义，一个就够了，无需重复。然而，正是因为使用词语是相同的，才表示由相同词语所连接的成分是等量并立的，而且这些相同的词语本身可以看作一个界限，使被并列的项目之间边界分明，理解顺畅。

以上我们举了很多形容词的例子。其实，排比式连接不仅仅限于形容词，也可以适用于动词。比如：

(39)＊他总是吹拉，很快活。（同（27））

→他总是又吹又拉，很快活。

由此可见，零形式连接所行使的功能通过排比式连接完全可以做到。

而另一方面，零形式连接无法解决的问题，通过排比式连接却可以解决。比如，在动词并列时，一个常见的偏误是让两个单音节动词去共带一个宾语，如（40）。对于这种情况，零形式连接无能为力，但是排比式连接可以通过让动词都带上相同的宾语来解决。

（40）*我们一起做和吃蛋糕了。（同（3））

→*我们一起做吃蛋糕了。

→我们一起做蛋糕吃蛋糕了。

此外，排比式连接还可以广泛应用于介词结构的并列。

（41）不要忽略一个人生来对国家、对政府、对朋友应尽的义务。

（42）1951 年我从日本回来以后，在北京、在上海就常会看到快乐的他。

当然，（41）（42）只使用一个介词句子也能够成立：

（41’）不要忽略一个人生来对国家、政府、朋友应尽的义务。

（42’）1951 年我从日本回来以后，在北京、上海就常会看到快乐的他。

不过，这样一来，句子的书面语感觉陡增。如果介词结构中宾语的数量较多，那么，汉语口语表述则更倾向于使用重复介词的排比式连接。

值得一提的是，排比式连接对并列项的个数和长度都没有限制，因而特别擅长连接数量多、长度大的表达，有时甚至可以连接句子。

（43）人们都爱秋天，爱她的天高气爽，爱她的云淡日丽，爱她的乡飘四野。

（44）大自然能给我们许多启示：成熟的稻穗低着头，那是在启示我们要谦虚；一群蚂蚁抬走骨头，那是在启示我们要齐心协力；长江东流奔腾不息，那是在启示我们要为理想奋斗。

从这个意义上来说，排比式连接比零形式连接自由度要大得多，不但不受韵律的束缚，而且在各种上下文中都可以调动相应的成分，灵活应对，表现出广泛而强大的连接功能。

至今为止，“排比”多被认为是一种修辞，其语言学功能鲜受关注。然而，从以上分析中，可以发现，排比并非只是为了雕琢文采，强大的并列连接功能才是它的真实身份。由于排比是反复使用同一种表达，非母语学习者在不明其理的情况下，会误以为冗余、罗嗦。事实上，日语母语者在进行汉语输出时，几乎没有人能够准确运用这一连接方法。这反过来也暴露了我们对于非母语者汉语教学中存在的语法盲点。

六、零形式连接与排比式连接使用情况对比

从前两节的论述中，我们可以发现，当零形式连接无法使用的时候，排比式连接可以大显身手。也就是说，排比式连接比零形式连接自由度大，使用范围广，前者在职能上是可以涵盖后者的。这就引出了这样一个问题：在两种连接形式都可的情况下，二者是如何分工的呢？

为了回答这个问题，笔者选取了使用频率较高的 6 组双音词（形容词 3 组、动词 3 组）利用 CCL 和 BCC 两个语料库，对其连接方式的使用情况进行了调查。

表 1 双音节形容词并列连接

元素 / 形式		年轻　漂亮	热情 好客	小心　谨慎
种类	零形式连接（年轻漂亮）	247	322	600
	排比式连接(又年轻又漂亮 etc)	5	0	0

表 2 双音节动词并列连接

元素 / 形式		年轻　漂亮	热情 好客	小心　谨慎
种类	零形式连接（关心爱护）	243	151	910
	排比式连接(又关心又爱护 etc)	0	0	0

对比表 1 表 2 可以发现，尽管并列连接双音节形容词和动词时，有两种方法可以采用，但实际使用情况却存在巨大的频度差异，零形式的连接要远远高于排比式连接。我们认为，这里主要是因为语言运用上能简洁尽量简洁的经济性原则在发挥重要的作用。

因此，在零形式和排比式连接两种方式均可以选择的情况下，汉语出于经济性动机，更多地选择零形式连接是一个十分突出的倾向。而这一点，对于非母语学习者来说，当然也是一个不易察觉的问题，故有必要在汉语教学中也给予关注。

七、结语

本文从日语母语者产出的偏误入手，通过与日语及英语的对比，分析了汉语在进行并列连接时所采用的语法手段，从而得出以下结论：由于受日语和英语的影响，日语母语者常常按照“と”或者“and”的规则来使用并列连词“和”，然而，“和”的主要功能是连接名词性词语，而对于形容词和动词性词语则需要使用零形式或排比式连接法。不过，零形式连接法要受到汉语韵律上的制约，特别是以单音节形式出现的时候。相比之下，排比式连接法则具有覆盖面广，使用灵活自由的特点。尽管如此，语料观察使我们看到，双音节形容词及动词的连接以零形式连接为主，这主要是受语言运用上经济性原则的影响。

至今为止，语法研究和教学都倾向于把焦点放在有形式的语法功能词之上，但事实上，汉语把零形式连接也用作一种语法手段。而后者对习惯了使用有形式语法手段的日语母语者来说，无疑具有隐蔽而且难以发现的特点。另外，排比形式的连接对于日语母语者来说，也存在同样问题。因此，如何把这些规则挖掘出来，并应用于教学实践，无疑是对日汉语教学中不应回避的课题。本文借此也想提起这一建议。

附注

1） 本文所示偏误句除特殊标注之外，俱来自笔者在大阪大学外语系汉语教学过程中搜集的资料，而正确的例句主要来自以下两个语料库：
CCL（http://ccl.pku.cn;8080/ccl_corpus/）　BCC（http://bcc.blcu.edu.cn/）

2） 汉语中如果表示所列举的集合成员是非穷尽的，一般需要在最后一个列举项之后添加“什么的”“等等”等字眼。

参考文献

冯胜利 2000. 《汉语韵律句法学》。上海：上海教育出版社。

高　霞 2016. 英语国家学生汉语连词“和”的偏误分析，《大理大学学报》第 1 卷第 7 期：88-93。

劉月華ほか 1996.『現代中国語文法総覧』。東京：くろしお出版。

吕叔湘主编 1999. 《现代汉语八百词（增订本）》。北京：商务印书馆。

Quirk.R.1985. A Comprehensive Grammar of the English Language. New York: Longman.

寺村秀夫 1991.『日本語のシンタクスと意味』。東京：くろしお出版。

王晓梅 2009. 英汉并列连词句法分布之对比，《湖北师范学院学报（哲学社会科学版）》第 29 卷第 2 期:46-51。

徐　沛・宋春阳 2011. 基于语料库的并列连词“和”的偏误分析，《语言应用研究》第 11 期:120-122。

杨德峰 2008.《日本人学汉语常见语法错误释疑》。北京：商务印书馆。

张亚茹 2005.《红楼梦》中的并列连词，《语言教学与研究》第 3 期:33-39。

赵永新 1995. 汉语的“和”与英语的“and”，《语言对比研究与对外汉语教学》：129-141。北京：华语教学出版社。

周　刚 2002.《连词与相关问题》。合肥：安徽教育出版社。

附记

本课题为日本文科省学术振兴会科研项目「ユーザー視点による中国語教育文法設計の方法論構築」（科研費 19K00838）研究的一部分。

“了$_1$”在连动句中的焦点提示功能及语义生成

林 如
（御茶水女子大学）

摘要：本文讨论词尾“了”的位移导致焦点的转换。汉语词尾“了”的研究由来已久，也有了很多经典的分析和进展。有研究指出词尾“了”或与焦点相关，具有提示焦点的功能。本文通过在连动句中移动词尾“了”的位置来观察句子语义的转换，认为了对于句子焦点有影响，虽不如焦点标记“是”那么强烈，但是确实有提示焦点的作用。本文也将借鉴形式语义学的方法，尝试阐明词尾“了”的焦点语义结构和语义生成。

关键词：了$_1$；焦点；句法学；形式语义学

一、引言

现代汉语中“了$_1$”的语义解释一直都是语言学研究的重要问题，相关的研究和著作也非常多，但是将“了$_1$”与焦点研究相结合，探讨其语义生成的研究较少。在“了$_1$”与焦点研究结合的方面，有刘勋宁（1999）的“汉语 VVf 原则”，指出“了$_1$”总是位于连动结构的最后一个动词上，并有提示焦点的功能；在“了$_1$”的语义生成方面，有 Lin（2006）提出的“Le 的语法意义”①。本文着眼于“了$_1$”在连动结构中的焦点提示功能，并借鉴形式语义学的研究方法，试图构建出“了$_1$”的语义生成模式。本文只讨论词尾“了”而不讨论句尾“了”，所以本文中一律用“了$_1$”来指代词尾“了”。

二、“了$_1$”和焦点

刘勋宁（1999）中讨论了“了$_1$”和焦点的关系，认为在一个连续谓语句中，“了$_1$”只作用于最后一个动词上。汉语的焦点动词和焦点句是相应的，焦点动词在连续排列的几个动词节的最后一个，焦点句也在连续排列的几个小句的最后一个。也就是说“了$_1$”对于句子焦点是有影响的。

（1）a.他曾于 1983 年和 1985 年两次来华讲学，通过在北京、上海和广州等地举办系列讲座，培训了一大批骨干。1991 年 7 月，他又专程来到苏州，参加

由苏州大学主办的第二届全国系统功能语法研讨会，并在大会上就语言研究的指导原则做了重要发言。（刘勋宁 1999）[2]

b.他曾于 1983 年和 1985 年两次来华讲[了]学，通过在北京、上海和广州等地举办[了]系列讲座，培训了一大批骨干。1991 年 7 月，他又专程来到[了]苏州，参加[了]由苏州大学主办的第二届全国系统功能语法研讨会，并在大会上就语言研究的指导原则做了重要发言。（刘勋宁 1999）

在原句（1a）中，“了$_1$”只位于动词“培训”和“做”之后，也就是只位于每一句最后一个动词上，表示这个动词节比其他动词节更重要，具有一定的焦点性，这也与自然焦点常在句尾这一现象不谋而合。在（1b）中，我们给每一个动词都加上“了$_1$”，虽然在语法上可以勉强接受，但是这样会显得句意十分松散，失去重点。这也就是我们不会在所有动词上都加上“了$_1$”的原因。

本文在刘勋宁（1999）的基础上进行扩展，认为“了$_1$”不仅仅用在最后一个动词上，有时根据上下文，也可以把“了$_1$”放在前面的动词上，提示这个动宾结构比后一个动宾结构更重要。这样也就说明了“了$_1$”具有提示焦点的功能。

三、“了$_1$”的时体意义

有关“了$_1$”的研究数不胜数，在这里就不做全面地回顾了。林若望（2017）中给出了主要的总结，比较著名的有吕叔湘（1980）的“了$_1$”表完成和刘勋宁（1988）的“了$_1$”表实现的说法。后有金立鑫（1998）的“完成—延续”体标记和金立鑫（2002）回到实现论并补足了实现以后的动态类型的区别。林若望（2017）认为“了$_1$”的语法意义是单一的，传达了“实现/完成—状态延续”的意思，而不仅仅是实现，“了$_1$”是时和体的混合范畴，在复句中表达相对过去。

Lin（2003）中根据实现的定义给出了“了$_1$”的语法意义：

$$[\![le]\!] =:\lambda P\lambda t2\lambda e\exists e'[P(e)\wedge P(e')\wedge e'\leq Ee\wedge \tau(e')\subseteq t2\wedge t2\leq \tau(epro)]$$

原文中的说明是：

Let us first try to add a further condition on the topic time t2 introduced by le such that t2 must precede the run time of an event epro, which is intended to be a pronoun-like free variable. When this event variable is free, it is defined to refer to the utterance event. In this case, τ(epro), i.e., the run time of the utterance event, is equivalent to the speech time. However, epro can also be co-indexed with another event argument, giving rise to an anaphoric reading[3]

Lin（2003:273）

总结起来就是说“了$_1$”按照实现体的定义来看，一个事件在时间 t2 实现，而且 t2 必须比 epro 所代表的说话事件或是主要子句事件早或者是和它同时发生。我们具体举例说明，如

（2）小李昨天买了一个包包。（林若望 2017）

“买一个包包”这一事件包含在“昨天”这个时间里，且在 t2 实现，这个 t2 比现在说话的时间要早，这样就给予（2）一个具有过去时的语义解释。

Lin（2006）中又根据过程与结果状态的定义，对“了$_1$”的语法意义进行了修正：

$$[\![le]\!] = \lambda P_{<i,t>} \lambda tTop \lambda t0 \exists t[P(t) \wedge Istage(t,P) \subseteq tTop \wedge tTop < t0 \wedge tana \subseteq Rstate(t,P)]$$

Lin（2006:14）

其中 Istage 表示过程（Inner Stage），Rstate 表示结果状态（Result State）[4]。

林若望（2017）又进一步修改得出：

$$[\![le]\!] = \lambda P_{<i,t>} \lambda tTop \lambda t0 \exists t[P(t) \wedge Istage(t,P) \subseteq tTop \wedge tana \circ Rstate(t,P) \wedge tTop < t0]$$

林若望（2017:12）

意思是：带“了”的句子要为真的话，那么过程的时间必须包含在一个主题时间 tTop 里，这个主题时间可以是显性的，如“上个月”，若为隐性时间，则 tTop 会被存在闭锁掉。另外，tTop 必须在参考时间 t0 之前，t0 的默认时间是说话时间。此外，结果状态则必须跟一个 tana 的时间重迭，这个 tana 是个时间变项，会被显性时间短语约束，若无显性时间短语则被默认的说话时间约束。

林若望（2017）中举的例子如下。

（3）张三喝了白葡萄酒。（林若望 2017）

（3）表示有一个主题时间，“喝白葡萄酒”的过程时间包含在主题时间 tTop 之内，所以“喝白葡萄酒”的时间发生在过去。而且“喝白葡萄酒”已经成为事实的状态，这个状态和 tana 时间重叠，在句子没有其他明显时间状语的情况下，tana 就等于说话时间，表示这个已成为事实的状态在说话时是成立的。

本文将在林若望（2003,2006,2017）的基础上，结合焦点的理论，尝试对“了$_1$”的语法意义和语义生成进行再定义。“了$_1$”在连动结构中的时制与体的归属问题，我们将在林若望的理论框架下进行讨论。本文认为，在连动结构中，只需要一个“了$_1$”就够

了，如刘勋宁（1999）所指出的，如果加入过多的“了 1”会造成句子语义松散。但是“了 1”除了可以置于最后一个动词节上以外，也可以根据焦点的情况进行位移，位于句中的动词节。至于应该放在哪个动词后，则由焦点来决定。

四、焦点的选项语义学理论

焦点的选项语义学理论是由 Rooth（1985,1992）提出并发展的，其中重要的内容是普通语义值（ordinary semantic value）和焦点语义值（focus semantic value）。李宝伦、潘海华、徐烈炯（2003）中叫做选项语义学（Alternative Semantics），指出该理论框架把命题视作整体，所有的语义运算以命题为单位，语义算子只针对命题整体进行运算。花东帆（2005）中指出，选项语义论解答的是焦点对于句子产生了怎样的影响和限制，焦点的语义功能以及形式上如何分析表达焦点的语义功能。殷何辉（2017）中也对选项语义论有所总结：焦点的语义功能是引入焦点成分本身的普通语义值之外的一个附加的焦点语义值，前者是焦点成分所指的独元集，后者则由与这个焦点的语义类型相同的可能的指谓所组成的集合，分别表示为〖φ〗o 和〖φ〗f，集合〖φ〗f 的大小是根据一定的语用环境和相关性来决定的，也就是说，焦点语义值是由焦点引出的一个选项集合，这个集合中的成员由语境和相关性决定。

Rooth（1996）中再次概括了选项语义学的内容并提出焦点解释原则[5]。花东帆（2005）给出了焦点解释原则的具体内容。

焦点解释原则[6]：

设φ为一个句法单位，v 为一个隐含的语义变量，#表示一个焦点解释算子，那么φ#v 规定v 是φ的焦点语义值〖φ〗f 的子集（即：v⊆〖φ〗f）。

花东帆（2005:135）

花东帆（2005）对该原则进行了解释，认为 v 需要受到〖φ〗f 的限制，且需要一个先行语。与 v 相照应的先行语记作 C，焦点解释原则要求 C 也是〖φ〗f 的子集（即：C ⊆〖φ〗f）。我们可以做这样的理解：v 和 C 在焦点解释过程中的作用是类似的，v 是一个隐含的语义变量，是一个命题的集合；C 是隐含的量化域，代表量化算子所量化的特征的集合；C 可作 v 的先行语。

花东帆（2005）中又提出“只”的句法结构可以表达为[VP 只 VP]，由此得出的语义表达式为$\lambda x[[\![VP]\!]o(x)\wedge\forall P[P\in C\wedge P(x)\rightarrow P=[\![VP]\!]o]]$，Rooth（1992）中解释了C代表“只”所量化的特征的集合，P代表这些特征中最强的那一个。

本文借鉴参考文献中“只”的研究方法，把“了$_1$”看作是一个时体量化算子，将“了$_1$”带入同样类型的语义表达式，尝试从选项语义学的角度对“了$_1$”的语义进行解读，考察“了$_1$”的焦点提示功能。

五、“了$_1$”在焦点中的语义

5.1 “了$_1$”的语义解释

本文将着重讨论“了$_1$”与焦点的关系，而 “了$_1$”的时体意义则不是本篇讨论的重点。根据刘勋宁（1999），“了$_1$”总是出现在最后一个动词上，那么焦点就总是出现在最后一个小句上。本文将对此进行扩充，在语境理解的基础上，认为“了$_1$”也可以出现在前面的动词上，并提示焦点，也就是说焦点不一定都出现在句尾。

（4）那些好莱坞的卡通画家竭力想迎合观众的心理，提高他们的作品号召力，于是他们**排了队**出发去搜寻有趣的童话，神话，滑稽的传说。（张爱玲《论卡通之前途》）[7]

（5）又亲自参与拉拉队的组织，预订和排队**买了2500张票**，不断接听球迷打来的电话，有要球票的，有要国旗的，忙得他们团团转。（《人民日报》2000）

（4）和（5）的连动结构的基本形态都是“排队+V+NP”。（4）强调的是“排队”，描写了卡通画家们为了使作品受欢迎而一个接一个地出发去寻找素材。张爱玲用“排了队”这样的表达方式来形容人多的状态，表现了卡通画家们那种急切的样子。（5）强调的是“2500张”，用2500这样大量的个数来强调比赛的火热程度及动作主语忙碌的状态。

再看下面一组，（6）和（7）的基本形态都是“去图书馆查NP”。

（6）西尔韦斯特说，他在午休时特地**去了图书馆**查找资料，以便在有学问的邻居面前不致丢脸。（霍利兹豪克《豚鼠特鲁勒》）

（7）为了画好张学良将军肖像这一特殊的赠品，他去图书馆**查阅了有关张学良将军的文字图片资料**，多次精选，几易其稿，一枚画有张学良将军肖像的鼻烟壶终于制作完成了，并由摄制组亲自交到了张学良先生的手里。（《人民日报海外版》2003）

（6）中“特地”一词直接表明句子焦点是“去了图书馆”，而不是其他句子成分。

强调去的地点是图书馆，而不是其他地方。（7）中强调的是查阅的内容，即“有关张学良将军的文字图片资料”，描述了画家绘画之前的准备工作，表现其严谨的工作态度。

以下例句（8）和（9）的基本形态是“坐飞机到NP”。

（8）像贵州省财政厅厅长王维自己**坐了飞机**先到北京，叫警卫员坐汽车、火车、轮船姗姗地赶来。（《新闻联播文字版》1955）

（9）到一九四二年，他被调到“远征军”，坐汽车到昆明，又坐飞机**到了印度**，再坐两小时轮船**到了加尔各答**，还是让他学炮。（《人民日报》1946）

（8）是一个对比焦点句，“坐了飞机”和后文中的“坐汽车、火车、轮船”形成对比，强调的是方式。（8）运用这样一组对比表现了“贵州省财政厅厅长王维”前呼后拥，讲究排场，铺张浪费的不良形象。而（9）则是主要强调了到达的目的地，“印度”和“加尔各答”。

接下来我们再看另一个例句（10）。

（10）但是因为谈话内容过于尖锐，不敢在屋里，怕隔墙有耳。连云山便约夏公然**去了爆肉馆**吃爆肉。（《报刊精选》）

我们截取出动词集中的部分。“连云山约夏公然去爆肉馆吃爆肉。”然后分别给所有的动词加上“了 $_1$”得到下列三个句子。

（11）连云山约夏公然去爆肉馆吃爆肉。

a.连云山**约了夏公然**去爆肉馆吃爆肉。

b.连云山约夏公然**去了爆肉馆**吃爆肉。（原句）

c.连云山约夏公然去爆肉馆**吃了爆肉**。

（11a）强调的是相约的对象“夏公然”，（11b）强调的是地点“爆肉馆”，（11c）强调的是内容“爆肉”。原句（11b）选择“爆肉馆”为强调对象的理由是，根据语境，我们可知主人公连云山和夏公然因谈话内容敏感而不得不换地方继续讨论，所以连云山索性把地点定在了爆肉馆，打算边吃边聊。但是我们也清楚，吃东西不是主要目的，不是为了去品尝爆肉而去爆肉馆的，其主要目的是为了继续刚才敏感的话题。所以，与上文的地点“屋里”相对，后一句强调了地点的转换，转换后的地点是“爆肉馆”，因此才将“了 $_1$”至于动词“去”之后。

再看与之类似的另一句。

（12）1955 年 9 月，女摄影记者舒世俊接受了一项庄严的任务——拍摄中华人民共和国第一次为中国革命做出贡献的元帅、将军授衔仪式影片资料。26 日，

小舒就**来到了中南海**布置灯光、看角度、安装摄影器材。(《作家文摘》)

按照普遍的行文习惯来说，一般（13）这样的句子比较常见。

（13）小舒来到中南海，**布置了灯光、看了角度、安装了摄影器材**。

而（12）中将"了 ₁"置于"来到"之后的原因是，根据语境铺垫，舒记者将要承担一项重要的任务，而为了突出任务的不同寻常，在后文中就强调了"中南海"这个具有特殊语义的词，"了 ₁"也就选择了动词"来到"，使得到达的地点成为焦点。

5.2 "了₁"的语义运算

我们参考 Rooth（1992,1996）和花东帆（2005）中对"only"的语义解释，用选项语义学理论探讨"了 ₁"的语义。在第 4 节中，我们提到"只"的语义表达式为 $\lambda x[\llbracket VP \rrbracket o(x) \wedge \forall P[P \in C \wedge P(x) \rightarrow P= \llbracket VP \rrbracket o]]$，其中 C 代表"只"所量化的特征的集合，P 代表这些特征中最强的特征。

本文将"了 ₁"看作是一个时体量化算子，"了 ₁"进入句子后量化的是一种时体特征。我们对"只"的语义表达式进行以下改变，用 U 表示句子中所有动宾结构的集合。P 是 U 中的一个元素，动宾结构被"了 ₁"焦点化时，可以理解为 P 是 U 中的一个最强特征。

我们用"φ"表示谓词，$\llbracket \varphi \rrbracket$ f 表示带有"了 ₁"的焦点语义值。则句子可以写成表达式：$\lambda x[\llbracket VP \rrbracket o(x) \wedge \forall P[P \in U \wedge P(x) \rightarrow P= \llbracket VP \rrbracket o]]$ 。

比如：

（6）西尔韦斯特说，他在午休时特地**去了图书馆**查找资料，以便在有学问的邻居面前不致丢脸。(霍利兹豪宪《豚鼠特鲁勒》)

其中的连动结构部分为"去图书馆查找资料"，U 表示"了 ₁"所量化的时体特征的集合，在（6）中就是 U={去图书馆，查找资料}。我们当然可以让"了 ₁"与每一个动词结构相结合，但这样做就会造成重心不明确，语义松散。(6）中的"特地"明确指定了"去图书馆"作为连动结构的焦点，因此 U 的两个元素中最强特征 P 为"去图书馆"，在 P 上加上"了 ₁"即"去了图书馆"，强调了地点。

"了 ₁"的移动会导致句子语义解释不同，我们以（11）为例，探讨每一种移动的语义情况。

（11）连云山约夏公然去爆肉馆吃爆肉。

此句可拆分成 3 个动词性结构，"约夏公然""去爆肉馆""吃爆肉"，即 U={约夏公然,去爆肉馆,吃爆肉}。

=λx[〖约(夏公然)去(爆肉馆)吃(爆肉)〗o(x)∧∀P[P∈U∧P(x)→P=〖约(夏公然)去(爆肉馆)吃(爆肉)〗o]](连云山)

=λx[〖约(夏公然)去(爆肉馆)吃(爆肉)〗o(连云山)∧∀P[P∈U∧P(连云山)→P=〖约(夏公然)去(爆肉馆)吃(爆肉)〗o]]

（11）a.连云山**约了夏公然**去爆肉馆吃爆肉。

（11a）中，U 的最强特征 P 为“约夏公然”，“了 $_1$”选择动作对象作为强调的内容，所以“约了夏公然”的焦点语义值为〖约了夏公然〗f。语义解释为：λx[〖VP〗o(x)∧∀P[P∈U∧P(x)→P=〖VP〗o]]

=λx[连云山约了 **x** 去爆肉馆吃爆肉]∧∀P[P∈U∧P(x)→P=[连云山**约了夏公然**去爆肉馆吃爆肉]

=〖连云山约了[**夏公然**]F 去爆肉馆吃爆肉〗f={连云山约了(x)去爆肉馆吃爆肉|x∈人的集合}

由焦点解释原则可知，v⊆〖φ〗f，则 v⊆{连云山约了(x)去爆肉馆吃爆肉|x∈人的集合}。U 如果作为其先行语，则也必须有 U⊆{连云山约了(x)去爆肉馆吃爆肉|x∈人的集合}。“约了夏公然”的语义解释为：λx[〖VP〗o(x)∧∀P[P∈U∧P(x)→P=〖VP〗o]]

=λx[〖约了夏公然去爆肉馆吃爆肉〗o(x)∧∀P[P∈{连云山约了(x)去爆肉馆吃爆肉|x∈人的集合}∧P(x)→P=〖约了夏公然〗o]](连云山)

=[〖约了夏公然去爆肉馆吃爆肉〗o(连云山)∧∀P[P∈{连云山约了(x)去爆肉馆吃爆肉|x∈人的集合}∧P(连云山)→P=〖约了夏公然〗o]]

意思是连云山约了夏公然，且如果连云山具有任意一个“约了某人”的特征，则这个特征就是“约了夏公然”。

（11）b.连云山约夏公然**去了爆肉馆**吃爆肉。

（11b）是原句，由语境选择了“去爆肉馆”为连动结构的焦点。“了 $_1$”选择地点作为强调的内容。“去了爆肉馆”的焦点语义值为〖去了爆肉馆〗f。

=λx[连云山约夏公然去了 **x** 吃爆肉]∧∀P[P∈U∧P(x)→P=[连云山约夏公然**去了爆肉馆**吃爆肉]

=〖连云山约夏公然去了[**爆肉馆**]F 吃爆肉〗f={连云山约夏公然去了(x)吃爆肉|x∈地点的集合}

如果有语义变量 v⊆{连云山约夏公然去了(x)吃爆肉|x∈地点的集合}，那么先行语 U

⊆{连云山约夏公然去了(x)吃爆肉|x∈地点的集合}。焦点解释起到了限制“了 1”所表达的量化域中的元素的作用，“去了爆肉馆”的语义解释为：

=λx[〚约夏公然去了爆肉馆吃爆肉〛o(x)∧∀P[P∈{连云山约夏公然去了(x)吃爆肉|x∈地点的集合}∧P(x)→P=〚去了爆肉馆〛o]](连云山)

=[〚约夏公然去了爆肉馆吃爆肉〛o(连云山)∧∀P[P∈{连云山约夏公然去了(x)吃爆肉|x∈地点的集合}∧P(连云山)→P=〚去了爆肉馆〛o]]

意思是连云山约夏公然去了爆肉馆，且如果连云山具有任意一个“去了某地”的特征，则这个特征就是“去了爆肉馆”。

（11）c.连云山约夏公然去爆肉馆**吃了爆肉**。

（11c）选择了“吃爆肉”作为连动结构的焦点。“了 1”强调动作的内容。“吃了爆肉”的焦点语义值为〚吃了爆肉〛f。

=λx[连云山约夏公然去爆肉馆吃了 **x**]∧∀P[P∈U∧P(x)→P=[连云山约夏公然去爆肉馆**吃了爆肉**]

=〚连云山约夏公然去了爆肉馆吃了[**爆肉**]F〛f={连云山约夏公然去爆肉馆吃了(x)|x∈食物的集合}

如果 v⊆{连云山约夏公然去爆肉馆吃了(x)|x∈食物的集合}，那么 U⊆{连云山约夏公然去爆肉馆吃了(x)|x∈食物的集合}。“吃了爆肉”的语义解释为：

=λx[〚约夏公然去爆肉馆吃了爆肉〛o(x)∧∀P[P∈{连云山约夏公然去爆肉馆吃了(x)|x∈食物的集合}∧P(x)→P=〚吃了爆肉〛o]](连云山)

=[〚约夏公然去爆肉馆吃了爆肉〛o(连云山)∧∀P[P∈{连云山约夏公然去爆肉馆吃了(x)|x∈食物的集合}∧P(连云山)→P=〚吃了爆肉〛o]]

意思是连云山约夏公然去爆肉馆吃了爆肉，且如果连云山具有任意一个“吃了某种食物”的特征，则这个特征就是“吃了爆肉”。

六、结语

本文通过考察连动句中“了 1”的语义，提出“了 1”可作为较弱的焦点敏感算子的观点。本文的分析在林若望（2017）刘勋宁（1999）Rooth（1985,1992,1996）等的研究的基础上，将形式语义学和焦点理论相结合，尝试得出“了 1”的语义表达式为λx[〚VP〛o(x)∧∀P[P∈U∧P(x)→P=〚VP〛o]]这一结论。

附注

1) Lin 指林若望，因原文是英文书写，所以本文也采用英文表现。后文中的林若望(2017)为中文书写，所以用中文表示。Lin（2006）中从时制与体的角度探讨了“了 1”的语法意义，并给出“了 1”的定义：[[le]]=λP<i,t>λtTopλt0∃t[P(t)∧Istage(t,P)⊆tTop∧tana o Rstate(t,P)∧tTop<t0]在本文第 3 节会有引用的原文及解释。

2) 本文的例句选自参考文献例句及 bcc 语料库。

3) 引用原文的部分用斜体表示，以下相同

4) 关于 Istage 和 Rstate，Lin（2006）中的描述是：*the functions Istage and Rstate must depend on P and can be defined as follows.*

   a. Istage(t, P) is defined if P(t)=1, in which case

   (i) if P is telic, Istage(t, P)=t minus the last point of t;

   (ii) if P is atelic, Istage(t, P)=t.

   b. Rstate(t, P) is defined if P(t)=1, in which case

   (i) if P is telic, Rstate(t, P)=the interval at which the result state of P exists.

   (ii) if P is atelic, Rstate(t, P)=the interval consisting of every moment after t.

   Lin（2006:9）

5) Rooth（1996）中的原文如下：

   Where φ is a syntactic phrase and C is a syntactically covert semantic variable, φ~C introduces the presupposition that C is a subset of $[\![\varphi]\!]_f$ *containing* $[\![\varphi]\!]_o$ *and at least one other element. The operator being defined is“~”the focus interpretation operator. In the question-answer paradigm, it would have scope over the answer.*

   Rooth（1996:21）

6) 花东帆（2005）中描述焦点解释原则时使用的符号与 Rooth（1996）不同，为了方便区别各个符号的含义，本文采取花东帆（2005）中的描述。

7) 本文例句中用粗体字表示焦点，以下相同。

参考文献

花东帆 2005. 焦点的选项语义论,《焦点结构和意义的研究（徐烈炯、潘海华）》北京：外语教学与研究出版社。

李宝伦, 潘海华, 徐烈炯 2003. 对焦点敏感的结构及焦点的语义解释（下）,《当代语言学》第2期: 108-119页。

林若望 2017. 再论词尾“了”的时体意义，《中国语文》第1期：3-22页。

刘海燕 2008. 现代汉语连动句的句法结构和逻辑语义结构，『人文研究:神奈川大学人文学会誌』第165号：77-127页。

刘勋宁 1988. 现代汉语词尾“了”的语法意义，《中国语文》第5期：321-330页。

刘勋宁 1999. 现代汉语的句子构造与词尾“了”的语法位置，《语言教学与研究》第3期：4-22页。

殷何辉 2017. 焦点解释理论对“只”字句语义歧指的解释,《汉语学习》第3期：33-40页。

Lin, Jo-wang 2003. Temporal reference in Mandarin Chinese. *Journal of East Asian Linguistics.* 12: 259-311.

Lin, Jo-wang 2006. Time in a language without tense: the case of Chinese. *Journal of Semantics.* 23:1-53.

Rooth Mats 1985. Association with Focus. Ph.D. dissertation, University of Massachusetts.

Rooth Mats 1992. A theory of focus interpretation. *Natural Language Semantics* 1:75-116.

Rooth Mats 1996. Focus. *In The Handbook of Contemporary Semantic Theory.* ed. Shalom Lappin, Oxford: Blackwell.

“要”的“需要”义呈现特点

马花力

（大阪大学言语文化研究科）

摘要：“要”的否定形式有三种，“不想”、“不要”和“不用”。“不想”对应的是主语指向的“要（SBJ）”，“不要”对应的是说话人指向的“要（SPK）”。本文着眼于“不用”对应的“要”，从句法和语义方面对其进行了探讨，认为其中有一部分句子的“需要”义得到了凸显，句法方面的典型形式为：$S_{事}$＋要＋NP|小句|VP＋能＋VP|V 得 R，语义方面：$S_{事}$→表示原因，NP|小句|VP→表示所需条件，VP|V 得 R→表示目的。在此基础上，我们还发现：“要”的“需要”义呈现，语义上的制约大于句法上的制约。最后我们找到了一些助动词“要”呈现“需要”义的构式：〔1〕S＋要＋V_1P_1＋才能＋V_2P_2（必要条件）〔2〕S＋为了＋V_2P_2＋要＋V_1P_1〔3〕S＋要＋V_1P_1＋来|以＋V_2P_2〔4〕S＋要＋V_2P_2＋就要＋V_1P_1（必要条件）〔5〕S＋只要＋V_1P_1＋就能＋V_2P_2（最低条件）；语义方面，V_1P_1表示所需要的条件，V_2P_2表示希望达到的目的。

关键词：要 不用 需要义 客观的事实上的必要

一、问题提出

古川裕（2006a）指出助动词“要”有两种语义指向，分别是主语（Subject）指向的“要（SBJ）”和说话人（Speaker）指向的“要（SPK）”，两种语义指向“要”的否定分别为：要（SBJ）→不想，要（SPK）→不要。其中，说话人指向的“要（SPK）”主要用于祈使句，用来表示说话人对听话人的意愿、要求。

（1）口渴了，我要（要 SBJ）吃苹果。（古川裕 2006a）

（2）医生让我多吃苹果，不能吃菜，因此我要（要 SPK）吃苹果。（古川裕 2006a）

但在实际使用中，我们发现还有一种情况也比较常见：

（3）不吃苹果我的肠胃炎就好不了，因此我要吃苹果。（自拟）

（3’）吃了三个月苹果，我的肠胃炎全好了，我不用吃苹果了。

我们知道，例句（3）的否定形式是“不用”，可见“要”的这种用法既不是主语指向的要（SBJ），也不是说话人指向的要（SPK），表示的是客观的事实上的必要，语义上接近客观的需要，这一点古川裕（2006a, 2006b）都没有涉及。

有关“要”的解释，吕叔湘（1942）指出助动词“要”表示客观的事实上的必要，用“得”，也用“要”，其否定用“不用”。但在《现代汉语八百词中》（1999）中又指出，助动词“要”表示“须要；应该”义的否定形式用“不要”，同时又指出其“多用于禁止或劝阻”。古川裕（2006a）已经指出“不要”所对应的是“要（SPK）”，而在表示“须要；应该”义时，有一部分“要”并不是“要（SPK）”，其否定是“不用”。“不用”所对应的“要”还有进一步讨论的余地。

《现代汉语八百词》（增订版）（1999）还指出动词“要”呈现“需要，应该”义时，必带兼语。但我们在《现代汉语词典》（第7版）中能够找到这样的例句，“我做件上衣～多少布？”，可见必带兼语的说法也有待商榷。

另一方面，在日常的在日汉语教学实践中我们也经常会遇到以下偏误：

（4）*当时我要盒饭，盒饭是我妈妈做的，所以如果我五点起床的话，我妈妈要四点半以前起床。

（5）*她对我说，“我不要你的帮助”，很冷淡。

（6）*我有年度护照，所以不要买票。

可见日本学生在实际使用“要”时存在与动词“需要”等同的问题，认为“要＝需要”，同样的“不要＝不需要、不用”。我们认为导致这种现象出现的汉语自身的原因是“要”在一定情况下会呈现“需要”义，其否定形式是“不用”。

综上所述，我们认为无论是在研究层面还是在教学层面，都需要对“要”呈现“需要”义时的句法语义特征做进一步的明晰。

二、动词“要”的“需要”义呈现特点

2.1 “要”呈现“需要”义的三要素

我们首先从词典和教材中搜集了一些动词“要”的例句，如下：

（7）小姐，我要一套瓷器茶具。（古川裕『チャイニーズ・プライマー』）

（8）我跟莉莉要了一张照片，留作纪念。（荒川清秀『一歩すすんだ中国語文法』）

（9）我要他五点以前回来。

私は彼に5時までに戻るように言った。（伊地智善継『白水社中国語辞典』）

（10）庄稼正要水，就下了一场雨。

作物がちょうど水を必要としているところへ，一雨が降った。（伊地智善継

『白水社中国語辞典』）

（11）A：要多长时间？B：（从这儿到水族馆）要半个小时左右。（古川裕『チャイニーズ・プライマー』）

（12）这项任务要十天才能完成。

この任務は（10日間を要してようやく成し遂げることっができる）完成するまでに10日は必要だ。（伊地智善継『白水社中国語辞典』）

（13）这些地方就要你认真考虑。（吕叔湘《现代汉语八百词》）

我们已经知道，“要”表示客观的事实上的必要时，其否定形式是“不用”，因此我们能够判断出，例（10）、（11）、（12）、（13）都表示客观的事实上的必要，因为可以用“不用”、“不需要”或“用不了”来否定。我们可以说，这些句子中的“要”呈现的语义与“需要”接近。

（10’）庄稼正要水，就下了一场雨，现在庄稼不要|不需要水了。

（11’）A：要多长时间？B：（从这儿到水族馆）不用|用不了|不需要半个小时。

（12’）这项任务不用|用不了|不需要十天就能完成。

（13’）这些地方不用|不需要你认真考虑。

通过对以上例句的观察，我们能够发现，呈现“需要”义的动词“要”句法表现上有两种形式：（一）S＋要＋NP，例（10）、（11）；（二）S＋要＋小句，例（12）、（13）。并不像《现代汉语八百词》中所指出的那样，“必带兼语”，可以说动词“要”表示“需要”义在句法上并不一定要带兼语。

另一方面，我们发现主语位置的成分要么是事物名词，如例（10）、（12）、（13），要么是表示事件的小句，如例（11）。而主语位置是人称代词时，如例（7）、（8）、（9），动词“要”的其它语义得到了凸显。我们有理由假设，动词“要”呈现“需要”义时有一种典型的形式，这种形式可能与例（11）—（13）类似，主语是表示事物、事件的名词、小句，我们把这种主语记作S事。

《现代汉语词典》（第7版）对动词“需要”的解释是：“应该有或必须有”。对这个解释我们最朴素的疑问是：“为什么应该有或必须有”，即“需要”产生的原因是什么？我们可以说“需要”是：基于某种原因或为了实现某种目的而产生的需求。在此基础上，我们可以假设“需要”义呈现的语义要求可能包括：为什么需要→原因；需要什么→条件；要用来干什么→目的。如果一个句子能够在语义上同时满足“原因”、“条件”、“目的”三个要素，这个句子可能就是“需要”义呈现的典型语义环境。

（14）红树的“胎苗”生活力极强，插入土壤的幼苗，只要数小时就能生根 。（《人民日报》）

（15）这种船按季候行驶，因为要大水大风方能行动 。（沈从文《湘西》）

我们在语料库中找到了例（14）、（15）这样的句子，表示原因的分别是“红树的‘胎苗’生活力极强”、“这种船按季候行驶”；表示条件的分别是“数小时”、“大水大风”；表示目的的分别是“生根”、“行动”。同时在句法表现上我们也能找到例（14）、（15）的象似之处，S事＋要＋NP＋（就、方）能＋VP，各部分所对应的语义成分为：S事→原因，NP→条件，VP→目的。

同时，我们还找到了如以下情况的句子，例（16）—（18）。

（16）这个柜子要四个人才抬得动。（吕叔湘《现代汉语八百词》）

（17）末了，她师傅叹了口气说：“唉，你的文化低，这‘电工手册’要初中水平才能看得懂。”（《人民日报》）

（18）这个要准考证号才能查到吧！（BCC：对话）

以上例句，在语义方面并没有同时包含“原因”、“条件”、“目的”三个要素，但都同时包含了“条件”和“目的”两个要素。虽然句子中没有明显的表示“原因”的内容，但例（16）、（17）我们还是能够通过句子本身推测“这个柜子”、“这个‘电工手册’”之所以需要“四个人”、“初中水平”才能“抬得动”、“看得懂”的原因是：“这个柜子很重”、“这个‘电工手册’很难”。甚至例（18），根据生活经验，我们也能对需要“准考证号”的原因做出一些推测。在句法形式上与例（14）、（15）也有一些不同，出现了“抬得动”、“看得懂”等可能补语表示结果的形式。可以说，动词“要”呈现“需要”义的句子中，都包含或者隐含了“原因”、“条件”、“目的”这三个要素。

2.2 小结

我们已经知道，动词“要”呈现“需要”义时的三个语义要素，也找到了其代表性的句法形式，现总结如下：

句法形式：S事＋要＋NP|小句＋（就、才等）能＋VP|V得R

语义表现：S事表示原因，NP|小句表示条件，VP|V得R表示目的

同时，我们发现很多情况下，三个语义要素并不会同时得到满足，其中表示条件的内容一定会出现，表示原因和目的的内容有可能不出现，或隐含在句子内容之中。

我们再回过头来看一下最开始在教材和词典中找到的例句，是否也包含相关的语义

要素。

（10’’）庄稼（快旱死了）正要水（才能活），就下了一场雨。

（11’’）从这儿到水族馆（不太远）要半个小时左右（就能到）。

（12’’）这项任务（比较艰巨）要十天才能完成。

（13’’）这些地方（很重要）就要你认真考虑（以后才能不后悔）。

通过对以上例句进行补充，我们发现，在语义方面这些句子所提供的背景信息都能引起人们合理的推测，使“要”的“需要”义得到凸显。

我们还发现，当S是人称代词时，也能进入S＋要＋NP|小句＋（就、才等）能＋VP|V得R，呈现“需要”义，请比较例（16）和（16’）：

（16）这个柜子要四个人才抬得动。（吕叔湘《现代汉语八百词》）（原因推测：这个柜子很重）

（16’）我要四个人才抬得动。（原因推测：我很重）

但需要指出的是，“要＋NP|小句”所表示的条件和“能＋VP|V得R”所表示的目的需要在语义上能够与S人结合，即S人在语义上需要能够填补原因的空缺，否则句子就无法成立，请比较例（19）和（19’）：

（19）这棵树要三个人才能砍断。（自拟）（原因推测：这棵树很粗）

（19’）*我要三个人才能砍断。（原因推测：我很粗）

我们可以说，动词“要”呈现“需要”义时，语义上的限制大于句法上的限制，即语义上的限制是关键的因素，而特殊的语法形式能够使“需要”义得到凸显。

三、助动词“要”的“需要”义呈现特点

3.1 助动词“要”呈现“需要”义时在句法、语义上的假设

古川裕（2006a、b）指出，主语指向的助动词“要（SBJ）”需要语义支撑才能得到凸显，如以下例句：

（20）我要（要SBJ）学游泳。（自拟）

（21）你要（要SBJ）学游泳，先要买泳衣。（自拟）

（22）他跟我说了，他不喜欢北京，毕业以后，他还要（要SBJ）回到上海来。（自拟）

换个角度来说，没有语义支撑的助动词“要”，究竟是“要（SBJ）”还是“要（SPK）”

的倾向性不同。即例（20）“我要学游泳”，“要（SBJ）”得到凸显，当主语为第一人称“我”时，表示主语的意志、意愿；而单句“你要学游泳”，主语为第二人称“你”时，则“要（SPK）”得到凸显，表示说话人对听话人“你”的意志、意愿，也就是我们所说的祈使句，这是“要（SPK）”的典型语境。

基于古川裕（2006a、b）所指出的主语的特征对助动词“要”语义指向的影响，以及我们对动词“要”呈现“需要”义时，主语成分多为表示事物、事件的名词、小句，即 $S_{事}$的分析，我们有理由假设：助动词“要”呈现“需要”义也会受到主语成分的影响，这种主语很可能也是 $S_{事}$。同时，我们也有理由假设助动词“要”呈现“需要”义时，在句法和语义限制上与动词“要”的表现相似。我们假设助动词“要”呈现“需要”义时的典型句法、语义表现如下：

句法：$S_{事}$＋要＋VP＋（就、才等）能＋VP|V 得 R

语义：$S_{事}$表示原因，VP 表示条件，VP|V 得 R 表示目的

按照以上的假设，我们找到了以下的一些例句：

（23）水果要洗干净才能吃。（吕叔湘《现代汉语八百词》）

（24）里厄直起身来说，血清要过一会儿才能发挥全部作用。（阿尔贝・加缪《鼠疫》）

（25）我每天夜里，总是要抚摸着它们才能入睡，它们自然而然地进了我的梦境。（莫言《春夜雨霏霏》）

（26）他只要说一句话就能使我精神百倍，为什么他还要让我绝望而死？（大仲马《蒙梭罗夫人》）

通过对以上例句（23）-（26）的观察，我们发现主语位置的成分分别是“水果”、“血清”、“我”、“他”，可见我们假设主语是$S_{事}$是不符合语言事实的，在 S＋要＋VP＋（就、才等）能＋VP|V 得 R 这种句法形式中，助动词“要”呈现“需要”义，已经突破了主语 S 多为事物、事件的限制。在语义上，我们假设主语 S 表示原因，以上四个例句中，S 所表示的原因都是隐含的、不明确的。助动词“要”呈现“需要”义的主要影响要素是“要＋VP”所表示的条件与“（就、才等）能＋VP|V 得 R”所表示的目的，这两个语义要素。

3.2 助动词“要”呈现“需要”义时的具体分析

吕叔湘（1942）指出，必要的观念可以分为主观的和客观的。主观的必要就是意志

的要求 ，即古川裕（2006a、b）所指出的 “要（SBJ）”和“要（SPK）”；客观的必要又可以分为事实上的必要和情理上的必要。事实上的必要，白话用“得”，也用“要”，其否定口语中用得最多的是“不用”。吕叔湘（1999）又进一步指出，助动词“要”表示“须要；应该”。可见“要”表示必要时在语义上不是统一的，可以说事实上的必要与情理上的必要是一个连续变化的统一体的两端。我们认为，客观的必要当中事实上的必要，这一部分中有些情况与“需要”非常接近。因此，助动词“要”呈现“需要”义时，一定需要句法和语义上的支撑才能得到凸显，这与动词“要”应该是相似的。

3.2.1 助动词“要”的语义呈现变化

参考先行研究，我们知道，助动词“要”的语义呈现是变化的，主语指向的“要（SBJ）”，表示主语的意志、意愿；说话人指向的“要（SPK）”，表示说话人对听话人的意志、意愿；客观的事实上的必要，即“须要”；客观的情理上的必要，即“应该”。其中，客观的事实上的必要中，有一部分与“需要”非常接近，这是本文讨论的中心。我们通过以下例句来看一下助动词“要”语义呈现的变化情况：

（27）医院里要安静，不要吵闹。（古川裕『チャイニーズ・プライマー』）

（28）学外语，要多听、多说、多读、多写。（冯胜利・施春宏《三一语法》）

（29）提高要有一个基础。

レベルアップには基礎がなければいけない。（伊地智善継『白水社中国語辞典』）

例（27），我们依然可以把“要”解读为“要（SPK）”，因为“不要”是“要（SPK）”的否定，因此在某种程度上提示我们听话人的存在，通过“要”与“不要”的对比，说话人对潜在听话人的要求（意志、意愿、希望等）得到表达。但，如果是单句“医院里要安静”，那么，则与例（28）、（29）一样，“要”已经不再是“要（SPK）”，这一点我们也可以通过其否定形式得到印证，“要”的语义呈现为“须要；应该”，当然这也与主语成分是事物、事件名词的特点有关系。

3.2.2 助动词“要”“需要”义的呈现与句法的关系

助动词“要”表示客观的事实上的必要中，有一部分与“需要”非常接近；助动词“要”呈现“需要”义，需要句法和语义上的支撑。因此，我们使用上文例（23）—（26）中找到的两种句法形式：表示必要条件的形式“要＋VP＋才能＋VP”；表示最低条件的

“只要+VP+就能+VP”，来对例（28）、（29）进行改写，看看哪个句子的语义比较接近“需要”义。

（28’）a ※要多听、多说、多读、多写，才能学外语。

b ※只要多听、多说、多读、多写，就能学外语。

（29’）a 要有一个基础才能提高。

b 只要有一个基础就能提高。

参考例（28’）、（29’），我们能够发现，由于“学外语”是一个一般性事件，目的性、原因性都不显著，因此，例（28’）a、b 都无法成立。当我们用“学好外语”或者“学外语很难”分加强“学外语”事件的“目的性”和“原因性”后得到例（28’’），如下：

（28’’）a 要多听、多说、多读、多写，才能学好外语。

b 只要多听、多说、多读、多写，就能学好外语。

c 学外语很难，要多听、多说、多读、多写。

可见，当句子中事件成分的目的性或者原因性显著时，“要+VP”所表示内容的必要性也会得到凸显，即助动词“要”的“需要”义得到凸显。而句法上的限制，正是为了使这种语义上的限制得到加强。因此，我们可以说，助动词“要”呈现“需要”义时，最关键制约要素是语义，而非句法。

3.2.3 特定句法形式凸显助动词“要”呈现“需要”义

通过上文的讨论，我们明确了助动词“要”呈现“需要”义时，最关键的要素是语义，也明确了句法上的限制能够凸显“需要”义的呈现。接下来，我们通过检索语料，找到了以下几种凸显助动词“要”呈现“需要”义的句法形式，具体如下：

（29）我每天夜里，总是要抚摸着它们才能入睡，它们自然而然地进了我的梦境。（莫言《春夜雨霏霏》）

（30）那个镜子是铜铸的，已经用旧了，为了保持光亮经常要磨，所以磨得非常的薄，边上比刀子还要快。（王小波《怀疑三部曲》）

（31）当然，主要的劳动要依靠那个农场来完成。但局里需要抽调一个干部去那里，既是这项工作的领导者，又是技术指导，这正是我的机会！（路遥《你怎么也想不到》）

（32）武元甲说，我们要继续斗争以实现停战协定，要求对方如期和我们举行协商会议，讨论通过自由普选实现国家统一问题。（《人民日报》）

（33）江醉章从床沿上站起来，“要搞政治就要学会动脑筋，要当我的副处长，就要知道我的一切秘密，不是靠问出来，而是靠看出来。”（莫应丰《将军吟》）

（34）他只要说一句话就能使我精神百倍，为什么他还要让我绝望而死？（大仲马《蒙梭罗夫人》）

我们可以把以上例句中出现的句法形式总结如下：其中 V_1P_1 表示所需要的条件，V_2P_2 表示希望达到的目的。

〔1〕：S＋要＋V_1P_1＋才能＋V_2P_2（必要条件）

〔2〕：S＋为了＋V_2P_2＋要＋V_1P_1

〔3〕：S＋要＋V_1P_1＋来|以＋V_2P_2

〔4〕：S＋要＋V_2P_2＋就要＋V_1P_1（必要条件）

〔5〕：S＋只要＋V_1P_1＋就能＋V_2P_2（最低条件）

3.3 小结

我们参考动词“要”呈现“需要”义时在句法、语义方面的特点，对助动词“要”呈现“需要”义时句法、语义方面的特点进行了探讨。首先，我们发现语义要素是助动词“要”呈现“需要”义时的关键要素，当句子在语义上目的性、原因性得到凸显时，“要＋VP”的必要性也会得到凸显，即“需要”义得到凸显。另外，我们找到了一些凸显“需要”义的句法形式，在这些特定的句法形式中主语 S 可以不是 $S_{事}$，为什么需要所提示的原因可以不出现，特定句法形式凸显了条件和目的这两个语义要素。

四、总结

我们分别对动词和助动词“要”呈现“需要”义时，在句法、语义方面的特点进行分析后发现：“要”呈现“需要”义时存在典型的句法、语义搭配形式。

句法：$S_{事}$＋要＋NP|小句|VP＋（就、才等）能＋VP|V 得 R

语义：$S_{事}$表示原因，NP|小句|VP 表示条件，VP|V 得 R 表示目的

在这种典型句法、语义搭配的基础上，我们还发现：“要”呈现“需要”义时，语义要素的制约大于句法要素的制约，当句子内容在语义上目的性、原因性得到凸显时，“要＋NP|VP|小句”所表示条件的必要性也会得到凸显。在语义要素凸显的情况下，可以突破句法上 $S_{事}$的限制。最后，我们找到了一些能够凸显助动词“要”呈现“需要”义

的句法形式。在这些特定句法形式中，所需条件与希望达成的目的在语义上得到凸显，从而使助动词“要”的“需要”义得到凸显。

参考文献

冯胜利、施春宏 2015.《三一语法》，北京大学出版社。

古川裕 2001.『チャイニーズ・プライマー』，東方書店。

2006a.〈关于“要”类词的认知解释——论“要”由动词到连词的语法化途径〉，《世界汉语教学》第一期：18-28。

2006b.〈助动词“要”的语义分化及其主观化和语法化〉，《对外汉语研究》第二期：97-107。

荒川清秀 2003.『一歩すすんだ中国語文法』，大修館書店。

吕叔湘 1942.《中国文法要略》，北京：商务印书馆。

1999.《现代汉语八百词》，增订本，北京：商务印书馆。

《现代汉语词典》2019. 第7版，北京：商务印书馆。

伊地智善継(編) 2002.『白水社中国語辞典』，白水社。

"你以为呢"的立场表达研究*

兀瑾
(北京语言大学汉语国际教育学部)

摘要：现代汉语口语中的"你以为呢"可以表达无疑而问的反诘语气，是谈话中言者对接收者进行否定的重要手段。本文从立场角度出发，结合会话分析方法考察口语对话中"你以为呢"的话语功能。研究发现，"你以为呢"满足立场三角模型各要素及其相互关系，主要表达[K+]认识地位和强势认识立场，能够实现会话参与者之间的立场协同。

关键词："你以为呢"；立场；认识地位

一、引言

"你以为呢"在现代汉语中有两种用法，一种是表达真正的询问，语体色彩严谨、庄重，例如：

（1）优派的"出众"更多地体现在北美、中国台湾，2002 年之前在中国内地市场一直是失败者的角色，4 年内更换了 6 个总经理，品牌也一度沦为"负值"。连竞争对手也说，人事的高频变动极大地杀伤了优派的品牌，<u>你以为呢</u>？朱家良：我们在中国以外的其他市场都非常成功，北美、中国台湾市场保持了市场第一的占有率。之所以长时间在中国内地无有胜果，最重要的原因是：一个好的团队没有建立起来。（BCC 科技文献）

例（1）中的"你以为呢？"可以用"你认为呢？"替换，是说话人就文中所提到的"中国市场"向听话人发起询问，以期得到对方的回应意见，听话人必须对此作出回答。

另一种是表达反诘语气，具有强烈的口语色彩。"反诘实在是一种否定的方式：反诘句里没有否定词，这句话的用意就在否定；反诘句里有否定词，这句话的用意就在肯定"。[⑫]例如：

（2）"我看你们院小孩一个个都挺老实的。"她撩着上面那层干净的水洗脸，攥着

---

* 立场表达是互动语言学研究领域近年来关注的热门话题，该题目来源于笔者在博士研究生专业课《句法语义专题研究》上的思考。

香皂骨碌碌滑转，涂了一手香皂沫儿，仔细地搓洗十指，"听你说还以为他们多坏呢。""你以为呢，噢，坏非得写在脑门上？"她不做声，开始洗脸。（BCC 王朔《动物凶猛》）

例（2）中的"你以为呢"并非真正询问，而是说话人对接收者的否定，否定的具体内容是"她"觉得"小孩一个个都挺老实的"，后文"她不做声，开始洗脸"表明"她"接受了说话人的否定。"你以为呢"并不承担疑问功能，句末呈下降语调，且重音在"你"上。

"你以为呢"表达真正询问与反诘语气的两种不同用法，主要取决于动词"以为"的两种不同语义，（代元东，2009；刘鹏昱，2010；陈曦，2011；许光灿，2014）同时，"以为"经历了词汇化，语义、用法具有特殊性。（谭世勋，1985；田寅威，2010；陈曦，2011）。

谈话语料显示，"你以为呢"可作为话轮构建单位（turn-constructional unit）[②]来组成完整话轮，从而实现某种言语行为，促成人与人之间的交际互动，但是较少出现于日常自然口语谈话中，笔者选取影视表演、相声曲艺、微博语录中 140 段包含"你以为呢"的对话，以会话分析的方法论[③]为指导，系统地探究"你以为呢"在言语互动中的立场表达。

二、"你以为呢"与立场三角

人们在与他人的互动中，言语的表达总能体现出立场。Biber & Finegan（1988、1989）提出了立场（stance）概念并对其作出改进，最终将立场概念表述为"对于信息命题内容的态度、感觉、判断或承诺的词汇或语法表达"。 在这之后更多的学者开始从各个领域关注立场表达（Ochs 1996；Berman et al 2002；Hyland 2005），从语义、功能等角度对立场进行分类。互动语言学领域研究立场影响最大的是 Du bois（2007），他构建起会话行为中的"立场三角（stance triangle）"模型，该模型包括了立场过程的关键要素——评价（evaluation）、定位（positioning）、一致性（alignment）以及客观性、主观性、交互主观性的社会认知关系，"立场三角"的统一框架是言语活动多重性的一种体现。因此，立场是一种涉及到社会文化领域任何显著维度的公开的社会行为，社会行为主体通过外在的交际手段展开对话，从而评价客体，定位主体(自我和他人)，并与其他主体寻求一致。

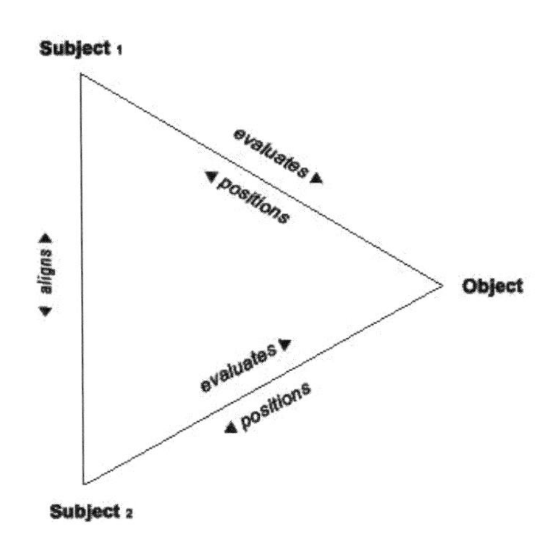

图 1 Du bois 立场三角模型示意图

"你以为呢"本身所持有的否定义映射出一种评价行为，必定涉及到评价对象，"你"的所指也要求接收者必须是现场同在的，"你以为呢"满足了立场三角中立场主体 1、立场主体 2、立场客体三要素（为行文方便，下文分别用 S1，S2，O 来代替）。请看下面的例子：

（3）#相亲中男方是否需要追求女方#（新浪微博）

L1.男方： 相处下，看看性格合不合适，是不是好相处，差不多的话可以一起结过日子了。

L2 女方： 我给你一个机会，你来追我啊！

L3.男方： 这还要追吗？不是相亲吗？

L4.女方： 是要追啊，<u>你以为呢</u>？

例（3）中"相亲时男方是否应该追求女方"是立场双方要评价的对象，即立场客体 O。女方是 S1，男方是 S2，整个立场表达过程可描述为：女方首先提出、并肯定立场客体（L3），男方就此表达了质疑（L4），女方再一次确认正面立场（L5）。其中，"你以为呢"居于会话的回应话轮以及话轮内部后段，用反问的形式强调"相亲中男方应该追求女方"的立场，以达到说服、纠正男方立场的目的。女方（L5）的质疑对象包括立场客体 O 以及男方对 O 的评价两个层面。

根据立场客体的性质，可将“你以为呢”的会话语境分为社会常识、专业知识、人物、事件四类，用法分布见下面表1：

表1.“你以为呢”立场客体分类统计表

立场客体类型	人物	社会常识	专业知识	事件	总计
数量（例）	76	25	20	19	140
占比（%）	54.3	17.8	14.3	13.6	100

当立场客体是人物时，“你以为呢”表达言者对该人物的特性、状态、行为、想法的评价，例如：

（4）#大和尚的性别#（新浪微博）

L1.我：她应该是和我年纪差不多的姑娘。

L2.我妈：什么？！他是女的？！

L3.我：那你以为呢？

L4.我妈：我以为他是个中年男人。

例（4）中，“我（S1）”和“我妈（S2）”对“大和尚（O）”的了解程度相差较大，由此产生了针对O的性别的不同立场。“你以为呢”带有轻微指责意味，即“我妈”应该早知道“大和尚”是女的这一事实。

社会常识类立场客体通常指时间、年龄、工作、婚恋等。例如：

（5）#时间过得很快#（新浪微博）

L1.我：我2021年谈个恋爱吧。

L2.韩娟：距离2021还有2个月。

L3.我：这么快吗？

L4.韩娟：你以为呢？

L5.我：我刚才可能在吹牛。

例（5）中，“我（S1）”用反问句（L3）感叹“时间（O）”快得超出预期，“韩娟（S2）”用“你以为呢”否定了“我（S1）”的预期，同时与“距离2021年还有2个月（L2）”这一事实呼应，突出“时间过得很快”这一大众普遍接受的观点，而“我要在2021年谈恋爱”的想法是不太可能实现的。

当立场客体是专业知识时，会话参与者以某种学科、机构、行业等领域内的相关知识为话题展开立场表达。例如：

（6）#九月上的新产品#（新浪微博）

L1.姐姐：可以使用方法再加1p，可以用化妆棉，可以做水膜啊！

L2.我：所以这些使用方法是你们凭空写写的嘛？

L3.姐姐：你以为呢？做水膜用起来多快，返单快啊！

例（6）中，“我（S1）”用反问句（L2）表达应该认真研发“新产品（O）”的使用方法这一正面立场，而“姐姐（S2）”用“你以为呢”先表明与“我”对立的立场，再对自己的立场进行专业知识上的解释。

事件类立场客体既包括动态的事件也包括静态的事物。例如：

（7）#买秋天第一杯奶茶#（新浪微博）

L1.老公：第一杯奶茶是什么梗？

L2.我：你以为呢，不然我点奶茶外卖干嘛？

例（7）中，“老公（S1）”对“秋天的第一杯奶茶（O）”这一动态事件表示疑问和不解的态度，“什么”有否定意味。“我（S2）”用“你以为呢”回以不屑态度，表明对“买奶茶”的肯定立场。

三、“你以为呢”的立场协同功能

Ochs（1996：410）将立场分为认识（epistemic）立场、情感（affective）立场。简而言之，认识立场指说话人知道什么以及如何知道，情感立场指说话人的情绪、态度、感觉、情感是什么，以及它们有多强烈。与认识立场相关的另一概念是认识地位（epistemic status），基于经验、所有权以及其他因素，两个对话者的相对认识地位并不对等，一方在获取知识方面优于另一方，即认识地位主要分为已知的[K+]和未知的[K-]两种相对状态[10]。

3.1 “你以为呢”表达认识立场

对语料分析后发现，“你以为呢”主要表达认识立场，且在表达立场过程中呈现的是[K+]认识地位，即“你以为呢”宣称立场持有者对立场客体具有更优先的认识权、更丰富的经验。例如：

（8）#谁年龄大#（综艺节目《中餐厅 3》）

L1.林大厨：你和小凯谁大？

L2.仝卓：我大。

L3.王俊凯：大五岁吧。<u>你以为呢</u>？

L4.林大厨：可能他的性格给人感觉，没有你成熟。

L5.王俊凯：低调低调。成熟不是什么好事，成熟不一定快乐。

例（8）中，关于仝和王二人年龄大小的知识，林处于[K-]认识地位，当事人仝在L2 已经给出林答案，L3 王在补充“大五岁”后用“你以为呢”反问林，林的回答表明他先前的预期与事实相反。因此，“你以为呢”既是言者（王）宣称自己在“谁年龄大”问题上具有绝对知情权，同时又是为了引出立场对立者（林）对自己不正确预期的解释。

3. 2 “你以为呢”表达寻求立场一致

一般情况下，说话者对特定知识领域采取的认识立场与他们的认识地位一致，即强认识立场对应于[K+]认识地位，弱认识立场对应于[K-]认识地位。但实际会话中的立场具有动态浮现特征，参与者会根据交际需求不断调整对彼此的认识立场，其目的是达到一致（congruence）。言者可以利用“你以为呢”升级（upgrade）自己的认识地位，显示自己比接收者有更大的权威或权利来评估一个对象。例如：

（9）#超过 18 的是什么？#（德云社相声）

L1.郭德纲： 早些年，于老师爱唱歌，演出完扭头就奔歌厅去，进门就喊，来俩，过 18 的不要。

L2.于谦：什么呀？什么过 18 的不要？

L3.郭德纲：果盘呀，<u>你以为呢</u>？

L4.于谦：啊，我以为早就该涨价了。

例（9）中，郭作为逗哏故意隐去了“来俩”的宾语，将其范围限于 18 以下”（L1-L2），由此引发了捧哏于的疑问（L3），想要从郭那里求取信息。郭直接给出答案后又反问于（L4），于的回答表明他对“果盘”的认识不足（L5）。在这一认识立场表达过程中，郭通过首轮发话的陈述言语行为来宣称自己对“于谦、歌厅”的[K+]认识地位，在和于的问答序列中，使用“你以为呢”来强调自己对立场客体的强认识立场，从而使于在“超过 18 的是果盘的价格”这一立场上与自己一致。其中，“你以为呢”表达的言者立场处于不断升级的趋势。

在某些情况下，言者的认识地位优先性并不像例（9）那样明显，“你以为呢”可以通过凸显言者立场而使对方的立场降级（downgrade），最终使立场双方达成关于立场客体的一致认识。例如：

（10）#取包裹时快递怎么分拣#（新浪微博）

L1.小哥：（动作行为：一直在分拣快递）

L2.我：诶，你们都是人工分拣啊？

L3.小哥：不然你以为呢？

L4.我：网上不都说是机器人拣的嘛！

L5.小哥：快了快了，我们就快变成机器人了。

例（10）中，“我”对“快递分拣方式（O）”的预期是“机器人分拣”，当前事实是“人工分拣”，在此场景下，“我（S1）”对立场客体的知识被“小哥（S2）”用“你以为呢”推翻，凸显 S2 拥有真正的[K+]认识地位。虽然 S1 首先就 O 做出评价（L2），但在 S2 使用“你以为呢”（L3）升级其立场后，S1 用“网上说”的间接引用方式（L4）降低了先前预期的可信度，从而使 S1 的认识立场得到降级，最终形成立场主体之间对立场客体的一致认识。

由此可知，“你以为呢”表明言者处于[K+]认识地位，表达强势认识立场，具有言者寻求与接收者立场一致的功能，可称之为立场协同（coordination）[5]功能。

四、结语

本文基于现代汉语口语会话语料，从互动语言学的立场表达角度考察反诘问句“你以为呢”，认为其表达言者的[K+]认识地位和强势认识立场，在话轮序列中投射出会话参与者各自掌握的背景信息。即便“你以为呢”具有强烈的口语色彩，在日常谈话中它的使用频率并不高，本文认为主要是因为“你以为呢”的重音在“你”，且第二人称代词“你”的指称很直接，言者的否定重点其实并非“以为”的宾语，而是当前话语的接收者，这威胁到了会话参与者的面子，不利于言谈互动的顺利开展。而在影视作品、相声表演中言者使用“你以为呢”更容易达到戏剧化的效果，这说明语体因素对话语标记的使用具有限制作用，相关问题有待进一步研究。

附注

1） 参看 吕叔湘 著《中国文法要略》，2018年7月北京第3次印刷，第405页，16.71章节。

2） Schegloff（1996）指出会话式的互动（conversational interaction）是自然语言使用的基本环境，是社会组织的一种形式，会话由话轮组成。话轮组织（turn organization）是话轮的语法结构之一，存放这种语法结构的组织单位就是话轮构建单位。

3）会话分析（conversation analysis）发展出一套用于对日常机构或自然谈话进行实证研究的方法论，具体请参见Elizabeth Couper-Kuhlen和Margret Selting主编的《Interactional Linguistics: Studying language in Social Interaction》第一章1.1（第4-7页）。

4） John Heritage（2012）指出，互动者们处于对某个信息的认识梯度的不同位置上，知道更多的是[K+]，知道更少的是[K-]，认识梯度的坡度由低到高不等。认识地位关注两个（或更多）人在某个时间点对某个领域的可及性。

5） Linell（1998）从对话视角考察谈话、互动和语境，方梅等（2018）将其核心观点归纳为：对话性是人类思维的本质，协同配合（coordination）是社会活动的根本；语言就是共同参与、通过符号性手段（symbolicmeans）进行的互动行为。

参考文献

陈 曦 2010 “以为”和“以为”句多角度考察，上海师范大学硕士学位论文。

代元东 2009 从三个平面看“认为”“以为”的差异，《贵州师范大学学报(社会科学版)》第5期：116-119。

方 梅、李先银、谢心阳 2018 互动语言学与互动视角的汉语研究，《语言教学与研究》第3期：1-16。

方 梅 2018 《浮现语法：基于汉语口语和书面语的研究》，北京：商务印书馆。

刘鹏昱 2010 “以为”的词汇化及其与“认为”的区别，《现代交际》第12期：103-104。

吕叔湘 2018 《中国文法要略》，北京：商务印书馆。

谭世勋 1985 试论“以A为B”结构的发展，《华南师范大学学报（社会科学版）》，第4期：90-96。

田寅威 2010 “以为”的词汇化研究，华东师范大学硕士学位论文。

王 爽 2010 “认为”和“以为”的辨析，《辽宁教育行政学院学报》，第3期：74-76。

许光灿 2014 也谈“以为”和“认为”，《汉语学习》第1期：107-112。

张邱林 1999 动词“以为”的考察，《语言研究》第1期：133-141。

Biber, Douglas & Edward Finegan 1989 Styles of stance in English: Lexical and grammatical marking of evidentiality and affect. *Text*, 9(1): 93-124.

Couper-Kuhlen, Elizabeth & Margret Selting 2018 *Interactional Linguistics: Studying language in Social Interaction. Cambridge:* Cambridge University Press.

Du Bois, John W. 2007 The stance triangle. In Robert Englebretson(eds.)*Stancetaking in discourse:Subjectivity,evaluation,interaction*,139-182.Amsterdam: Benjamins.

Heritage, John 2012 Epistemics in action: action formation and territories of knowledge. *Research on Language & Social Interaction* 45(1):1-29.

Ken, Hyland 2005 Stance and engagement: a model of interaction in academic discourse. *Discourse Studies* 7(2):173-192.

Ochs, Elinor 1996 Linguistic resources for socializing humanity. In John J. Gumperz & Stephen C. Levinson(eds.)*Rethinking Linguistic Relativity*,407-437.Cambridge: Cambridge University Press.

Ruth, Berman, Ragnarsdóttir Hrafnhildur & Strömqvist Sven 2002 Discourse stance: written and spoken language. *Written Language & Literacy* 5(2):253-287.

“就”与“VV”式动词重叠的主观量问题

斋藤 萌
（御茶水女子大学）

摘要：汉语动词重叠被普遍认为表示“尝试”义或“短时”义，本文根据观察“VV”式动词重叠的使用情况和汉日对译，发现有一些与“就”共同使用的“VV”式动词重叠所表达的意义很难用动作的“少量”来说明。本文采用“主观量”的观点观察动词重叠“减小动作量”和“加大动作量”的使用情况。我们认为“就”与“VV”式动词重叠的主观量问题，与动词重叠的“离散性”与“时间性”有一定的关联。

关键词：动词重叠；主观量；离散性；时间性

一、引言

关于汉语动词重叠形式，历来有不少先行研究对此进行分析，普遍认为动词重叠后以表示的是“尝试”义或“短时”义，表动作的“少量”、“不定量”、“轻微”等种种意义。日语里“尝试”义通常使用「～てみる」形式来表达，汉语的动词重叠形式和「～てみる」的对应关系也经常受到关注。根据观察“VV”式动词重叠的使用情况和汉日对译，我们发现有一些与“就”共同使用的“VV”式动词重叠所表达的意义很难用动作的“少量”以及“轻微”来做解释。并且从日语的对译也能看出这一些用例句已经不是「～てみる」所表达的“尝试”义。例如：

(1)一早起来小莲蓬就嚷嚷不舒服，给她试了试表，三十七度二，低烧。能让孩子烧着不管吗？（《钟鼓楼》）
今朝早く起きると、小蓮蓬が気分が悪いって言うので、はかってみたら三十七度二分、微熱があったんです。そのまま放っておけないでしょう。（『鐘鼓楼』）

(2)“那你就好好想想吧！以后再写信一律原封退回。”（《人啊，人》）
「それじゃ、よく考えてください。これからは、お手紙は全部、封を切らずにお返ししますから。」（『ああ、人間よ』）

(3)"大夫，只要能救我太太的命，你就救救她吧，哪怕要花一、二百法郎呢。"（《诱骗继承权》）

「先生、妻の命を救うことができるなら、彼女を救ってください。100フランでも200フランでもかかっていいですから。」（笔者翻译）

(4)"不信你就试试，看咱们两个谁厉害！"（《金光大道》）

「わしらのどっちがおっかねえかやってみっか！」（『輝ける道』）

另外我们还发现使用同一个动词的"就＋VV"在不同句子中所表达的"动作量"产生差异的情况：

(5)既然你这么说，我就见见他吧。（笔者作）

あなたがそう言うなら、彼に会ってみましょう。（笔者翻译）

(6)你不让我见他，我就非要见见他。（笔者作）

あなたが会わせてくれないなら、必ず彼に会ってやる。（笔者翻译）

李宇明(2000)指出动词的复叠[①]有"减小动作量"和"加大动作量"的两种使用情况。所谓减小动作量所表示的动作行为以反复次数少、持续时间短，而加大动作量则是指动作行为以反复次数多，持续时间长。李宇明(2000)同时也说明动词重叠所表现出的"量"是语言心理观念上的量，而不是客观物理观念上的可用数量词语表示的量。本文认同李宇明先生的观点，我们采用"主观量"的观点来考察"就"与"VV"式动词重叠共同使用的例句，比较动词重叠表"减小动作量"和"加大动作量"的两种情况，并分析"就"与"VV"式动词重叠的主观量问题，试图给以上例句中所表达的"动作量"的差异做出一些说明。

二、动词重叠所表示的"量"以及"离散性"

许多先行研究指出汉语的动词重叠往往表达"尝试"义或"短时"义，《实用现代汉语语法》也解释动词重叠的基本语法意义是表示动作持续的时间短或进行的次数少，既表示"少量"（实用现代汉语语法 2001：161）。李宇(1996)认为汉语所有的词语的重叠都与"量"的变化有关联，并且解释词语重叠的最基本的语法意义是"调量"。李宇明先生认为"量"的范畴可以分为：物量、数量、度量、动量的四种，其中"数量"指的是对事物、处所、时间、行为进行多少的计量，重叠形式表达的基本变化则是向加大的维度变化[②]。"动量"是指动作行为的力度、范围、活动的幅度、动作反复的次数和动作持续的时间等。动词的重叠最常用的作用是“减小动量”，不过也存在“加大动量”的现象，如“吵吵闹闹、拉拉扯扯、搂搂抱抱、出出进进”等。以下例句中的动词重叠形式描述的是一种习惯性动作，该动作是反复进行的，所以李宇明先生认为这是一种“加大动量”的现象。

(7)人老了，养养鸟，种种花，下下棋，聊聊天，管那么多闲事干什么。(李宇明1996：15)

石毓智(1996)认为汉语重叠式的语法意义是“定量化[③]”，对于动词，重叠形式一般表示一个较弱的量级（时量短或动量小)，而对形容词，重叠式可以确立一个程度，有时可以表示一个很高的量。并根据“离散性”与“时间性”两个数量特征，对各种词类的重叠形式进行了划分，如以下表1所示：

表1 重叠形式的离散性和时间性（石毓智1996：7）

	离散性	时间性
名词　量词	+	—
动词	+	+
形容词　副词	—	—

这里的“离散性”所指的是互相分离的、具有明确边界的个体；“时间性”指的是时间的长短或重叠次数的多少。如表1所示，石毓智先生认为动词可以在时间上划分出一个明确的单位，所以具有“离散性”，相对形容词在各个程度之间是没有边界的，所以是“非离散性”的。例如：

(8)他看了看书。（石毓智1996：3）

(9)他的衣服干干净净的。（石毓智1996：3）

石毓智先生认为例句(8)的“看了看”表示动作持续的时间短，同时在时间上占有一定的时间具有“时间性”，并且可以在时间上划出明确的边界而具有“离散性”，因此“看了看”的特征是[离散性:+][时间性:+]，相反，例句(9)的“干干净净”是没有明确边界的，它的量于时间无关，所以可以概括为[离散性:−][时间性:−]。

首先，我们赞同李宇明(1996)的观点，认为汉语的动词重叠形式不仅可以表达“尝试”义或“短时”义，同时也存在表达“加大动量”的现象。然后，我们采用石毓智(1996)提示的“离散性”与“时间性”的观点来观察动词重叠的时态特征。我们推测“就”与

“VV”式动词重叠的主观量问题，与动词重叠的“离散性”与“时间性”有一定的关联。

三、“就”的主观量

李宇明(2000)提到语言世界的量范畴有“客观量”和“主观量”的区分。例如：

(10)他吃了两个苹果。（李宇明 2000：111）

(11)他只吃了两个苹果。（李宇明 2000：111）

(12)他竟然吃了两个苹果。（李宇明 2000：111）

李宇明先生指出以上例句中，例(10)的“两个”表达的是客观量，而例(11)的主观评价是“吃的苹果不多”，“两个”表示“主观小量”，例(12)的主观评价是“吃的苹果太多”，“两个”则表“主观大量”。同时也解释“就”具有标指主观量的作用，“就”可以左指，可右指，可双指，但是“就”的前面和后面都表示主观小量。

早在 1956 年，王还先生论述“就”表示说话人的看法，“就”放在时间、数量、条件之后，表示说话人在心理上觉得前面的时间、数量或条件的数量少，条件比较宽。以下例句表示说话人在心理上觉得“就”前面的“两碗饭”的数量少，或“能学好”前面的要求很低。

(13)他吃了两碗饭就不吃了。（王还 1956）

(14)你用功就能学好。（没有什么了不起的困难。）（王还 1956）

周守晋(2004)同样认为“就”的表量作用是主观的评价，“就”的前指和后指都是指向小量，而后指的“就”表示的是“终点型[5]”评价，是从心理期待的立场来评价已然或将然的动作行为达成的结果。如：

(15)倒是宝兄弟屋里虽然人多，也就靠着你一个照看他。（红楼梦六十七回：周守晋 2004）

周守晋(2004)说明以上例句中，在“照看他的人（理应很多）”的心理预期维度上，“你一个”处于终点，从心理期待的立场来评价“你一个”具有［+不足］的意义特征，反映了说话人对“数”的“主观小量”评价。

我们注意到周文提到的“就”是从心理期待的立场来评价已然或将然的动作行为达成的结果，表示“终点型”评价的这一点。再次观察例(13)和例(15)，我们可以看到“就”后面的“不吃了”和“靠着你一个人你来照看她”都是已然的动作行为。引用石毓智(1996)

的观点，可以说“不吃了”和“靠着你一个人你来照看她”均是在时间上可以划出明确的边界，具有[离散性:+][时间性:+]特征的动作行为。一般来说，使用“就”对时间、数量、范围、条件等方面进行“多”或“少”的主观量评价时，需要对目标成分的范围进行限制，排除其他不被“就”引出的选项[6]。我们认为从心理期待的立场来评价一个动作行为的主观量［足］或者［不足］时，“就”后面的动作行为是需要具有[离散性:+][时间性:+]的。如例(14)中“就”后面的“能学好”就不能理解为“主观小量”的评价了。因为“能学好”不是具有[离散性:+] [时间性:+]的动作行为，而是一个假然的动作行为。

陆丙甫(1984)解释“就”的基本作用是限制范围，往往带有强调“少量[6]”的语气。也可以限制主观选择范围，强调意志态度上的“说一不二、坚决”等。例如：

(16)你不让我干，我就要干。（陆丙甫 1984：33）

田原(2006)认为，“就”的主要语法功能不是对时间或数量给予主观评价，而是表示“强调”和“情况连续发生的事实”。例如：

(17)她没敢抬眼看他，低眼就走。(田原 2006：148)

田原说明例(17)的“就”是强调后面的“走”，意味相当于英语的“indeed”“in fact”“right(ly)”。我们认为例(16)和例(17)中“就”后面的“干”和“走”不是具有[离散性:+][时间性:+]的动作行为，当“就”与[离散性:-]动作行为共同出现时，“就”不再对动作量进行主观量评价，而会具有强调动作[起始点]的功能，以下是具体的论述。

四、“就+VV”的对比分析

我们使用中日对译语料库以及 CCL 语料库检索“就+VV”构式的例句进行检索，对其进行了分析，发现可以把它们分为ⅰ）“VV”表示“减小动作量”；ⅱ）“VV”表示“加大动作量”的两个类型。它们不仅在汉语的语义上具有不同的表达功能，而且从日语对译也可以看出它们之间的差异。以下从 4.1 节开始我们通过观察实际例句来分析“就+VV”的语法意义。同时，我们将采用李宇明(2000)的以动作行为的起始点为划分出来的“起始点时态系统[7]”来考察动词重叠的时态问题。

4.1 表示“减小动作量”的“就+VV”

关于“就+VV”表示“减小动作量”的例句，我们找到了以下的例句：

(18) “没事儿。我就问问。你刚才说什么？”（《插队的故事》）

「なんでもない。訊いてみただけさ。さっきなんて言ったんだ。」(『遥かなる大地』)

(19) "我就问问而已。只是感兴趣你们会给我什么样的答案罢了。喂，快点运吧。"(《旅行，直至毁灭世界的终焉》)

「聞いてみただけさ。どう答えるのか気になっただけ。さあ、早く運んで。」(『遥かな大地』)

(20) 他一口喝干了一杯酒，吸几口烟，眼睛略为张大了。"无聊的。——但是我们就谈谈罢。"(《轮椅上的梦》)

彼は、酒をぐっと飲みほし、タバコをスパスパふかした。その目はいくらか大きく開かれていた。「つまらんこと—でも—まあ話してみようか。」(『車椅子の上の夢』)

例句(18)和(19)是说话人被问到"你为什么这样问？"，而回答"我就问问。"（「聞いてみただけさ。」）的场面。在例句(20)里，说话人虽然觉得他们要谈的事情是一件微不足道的事情，但是在听话人的要求下，说话人判断而发言"我们就谈谈罢"。（「まあ、話してみようか。」）。例句(18)(19)中的"问问"是已然的动作，也就是在说话时已经发生的动作、行为或已经出现的状态。而例(20)的"谈谈"是将然，以说话时为时间参照点来说是将要发生或说话人希望发生的动作行为或状态。例句(18)-(20)的共同点是"就+问问"与"就+谈谈"都表达动作持续的时间短或进行的次数少，具有"减小动作量"的特征。

根据王志英(2001)的观点，动词重叠形式具有"起始点"，但"终点"不明确（也可以说"终点"是任意的)，所以它的时态特征可以图示如〈图 1〉:

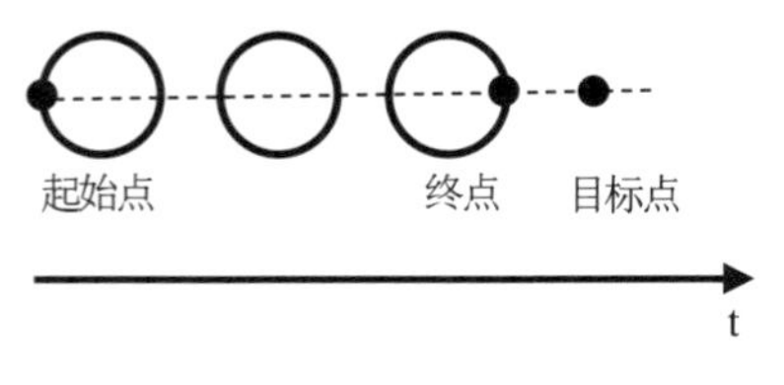

〈图 1〉(王志英：2001〈图 4-1〉(a))

王志英(2001)认为动词重叠形式之所以经常出现在祈使句里是因为动词的重叠形式没有明确的动作的目标点，也就是没有明确指出行动要进行到什么程度，是把动作的目标点留给听话人的一种语言表达式。这样可以具有“轻微”、“不经意”等意味使语气缓和、产生委婉的作用。〈图 1〉中的目标点是指动作的目标点，而终点是指重复动作某些次数之后动作行为结束的点。

本节中例(18)和例(19)的动词重叠是已然的动作行为，在说话时“问问”的动作已经完成实现，所以我们认为可以把它的时态特征图示如〈图 2〉：

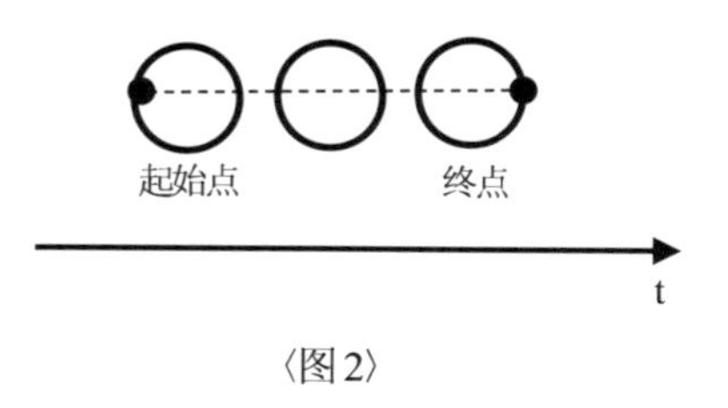

〈图 2〉

例(18)和例(19)的动词重叠是已然的动作行为，可以理解是具有[起始点+] [终点+]的动作。例(20)中的“谈谈”是一个将然的动作行为，以说话时为时间参照点来说是将要发生或说话人希望发生、说话人即将去参与的动作行为。“谈谈”的目标点可以设置在任意的地方，但动作行为最终会到达终点。我们认为它也是具有[起始点+] [终点+]的动作。具有[起始点+] [终点+]的动作行为在时间上占有一定的时间具有“时间性”，并且可以在时间上划出明确的边界而具有“离散性”，所以是一种[离散性:+] [时间性:+]的重叠形式。“就”与[离散性:+] [时间性:+]的动作行为共同出现时，“就”可以对动作量进行主观量评价，可以表达“减小动作量”。

关于例(20)的句子我们还可以归纳它是一个“据实总括”的句子。据实总括是刑福义先生在 1987 年研究“一 X, 就 Y”句式中提出的一个观点。据实总括的句子是根据对 X 部分的已然事实的总结，Y 部分表示结论以及主观反映的一类句子。例句(20)是根据听话人的“我想跟你谈谈”（已然）的要求，说话人做出结论，而发言“（好吧。）我们就谈谈罢”的一个情况。我们在例(18)和例(19)虽然看不到相当于 X 的根据，不过可以推断它们同样也是根据上下文的听话人的“你为什么要这么问？”的提问做出结论或者说是做出反映的一个情况。本文认为例(18)和例(19)也可以是一种广泛的“据实总括”的句子。

另外，我们归纳于本节的“减小动作量”例句中的“问问”和“谈谈”都可以于“V 一 V”形式互换，例(18)和例(19)的“问问”可以替换成“问一问”，例(20)的“谈谈”也可以替换成“谈一谈”。

4.2 表示“加大动作量”的“就+VV”

关于“就+VV”表示“加大动作量”的例句，我们把它分成了两类，一类是表持续性动作的用例，而另一类是表示“命令”语气的用例。

4.2.1 表持续性动作的用例

“就+VV”表持续性动作的用例，我们可以参考以下的例句。

(21) 她不明白男人为什么从“狂喜”又突然变成暴躁，想给男人开开心去去烦，想摸摸男人的心思，就叨叨咕咕，没完没了。（《金光大道》）
彼女には、夫がどうして急に「狂喜」から癇癪に変ったのかわからない。夫の気をはらし、いらいらを取ってやり、また夫の胸のうちをさぐろうとして、しきりに話しかける。（『輝ける道』）

(22) 一早起来小莲蓬就嚷嚷不舒服，给她试了试表，三十七度二，低烧。能让孩子烧着不管吗？（《钟鼓楼》）(同例句(1))
今朝早く起きると、小蓮蓬が気分が悪いって言うので、はかってみたら三十七度二分、微熱があったんです。そのまま放っておけないでしょう。（『鐘鼓楼』）

(23) 吃完晚饭后，他常去散散步，然后又看书，疲劳了就打打克拉克球，或者看看战士们打篮球。（《我的父亲邓小平》）
夕食が済むと、いつも彼は散歩に出かけ、その後本を読み、疲れたらクロッケーをしたり、兵士たちがバスケットをするのを眺めていた。（『わが父・鄧小平』）

例(21)的“叨叨咕咕”（「しきりに話しかける」）是表示“叨咕”这个动作在很长一段时间内以一定的周期反复发生的动作行为。例句(22)中的“嚷嚷”（「言う」）的持续时间虽然没有例(21)中的“叨叨咕咕”以表示的动作那么长，但“嚷”这个动作至少从“早上起床”到说话时间是反复进行发生的动作。例(21)和(22)的“叨咕”和“嚷”都是表示动作繁多，反复进行的情况，它们的动作持续的[终点]都不明确，并且目标点也不能设定，所以我们认为它们是[起始点+][终点−]的动作。

例(23)中的“打打克拉克球”（「クロッケーをしたり」）和“看看战士们打篮球”（「兵士たちはバスケをするのを眺めたり」）相当于日语的「〜たり〜たり」格式，是列举

同类动作的用法。例(23)中，“吃完晚饭后”不一定每晚会发生“散步”、“看书”、“打克拉克球”、“看战士们打篮球”所有的动作，可能有一天晚上只“散步”，而或许另一天晚上“看书”之后会“看战士们打篮球”，换言说“打克拉克球”和“看战士们打篮球”的动作不是一个必然产生的动作行为。并且“打克拉克球”和“看战士们打篮球”的动作之间不存在先后顺序，是先“打克拉克球”还是先“看战士们打篮球”都无法说明。张恒悦(2012：167)举出“大家聚在一起说说笑笑十分热闹。”的例句，说明句中的“说说”与“笑笑”完全模糊了各自动作的边界，并指出其与“酸酸甜甜”类形容词重叠形所表达的两种状态的相融相似。我们认为“打打克拉克球”和“看看战士们打篮球”也是一个[起始点+][终点-]的动作行为，可以把它的时态特征图示如〈图3〉：

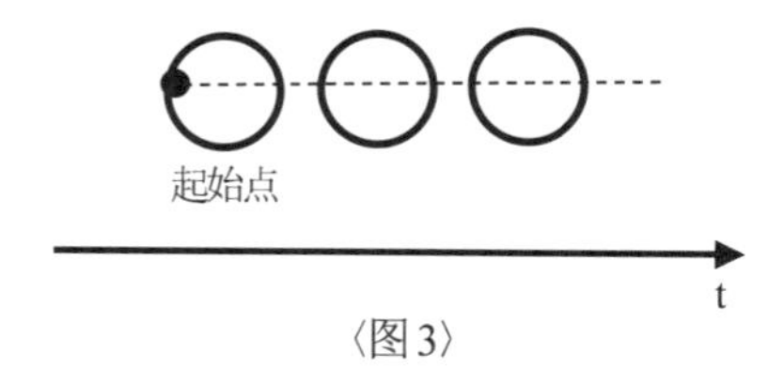

〈图3〉

本文认为以上表持续性动作的用例是属于常然的动作行为，它们表示的是惯常性的动作、行为或状态，可以表示过去的惯常性的动作，也可以表示现在和将来的动作。这一类[起点+][终点-]的动作行为在时间上占有一定的时间具有“时间性”，不过不能在时间上划出明确的动作的边界所以没有“离散性”，是一种[离散性:-][时间性:+]的重叠形式。“就”与[离散性:-]的动作行为共同出现时，“就”不再对动作量进行主观量评价，而会具有如田原(2006)所指出的表示“强调”的功能。以上表持续性动作的用例中“就”强调了“叨叨咕咕”、“嚷嚷”、“打打克拉克球”等动作的[起始点]，本文认为在这样的情况下，“就+VV”表示“加大动作量”。

我们同时也发现了“就”与心理动词重叠共同出现的状况。如：

(24)“那你就好好想想吧！以后再写信一律原封退回。”（《人啊，人》）

（同例句(2)）

「それじゃ、よく考えてください。これからは、お手紙は全部、封を切らずにお返ししますから。」（『ああ、人間よ』）

(25)“你是市委书记，总比我们这些人说话管用。为了你大姐，为了你的可怜的妹妹，也为了我，为了你，为了咱们这一大家人，为了咱们的祖宗后代，

你就想想法子吧……”（《十面埋伏》）

「あなたは市委員書記なのだから、私たちよりもあなたが話す方がいいに決まっています。お姉さんのために、かわいそうな妹のために、そして私のために、あなたのために、私たち家族のために、 ご先祖様や子孫のために、何か方法を考えてください。」（笔者翻译）

(26)“你正经点儿!”林婉芬有点生气了，不过一时间却觉得这气生得不太恰当，于是话头软了下来，“就当是尊重尊重我。”（《奋斗》）

「まじめに聞いてよ！」”林婉芬有は少し怒ったが、すぐに怒るのはよくないと思いなおして、言葉を和らげた。「わたしを尊敬すると思って。」（笔者翻译）

以上“就”与心理动词重叠共现的用例也不能理解为“就”在对动作量进行主观量的评价。例(24)和例(25)的“想想”表示“想”的动作将在说话时间之后反复进行发生。如常然的例句相同，“想”的动作持续的[终点]并不明确，也很难说心理动词是具有一个明确的[终点]或者是具有目标点的动作，所以我们认为它们也是[起始点+][终点−]的动作。例(26)的“尊重尊重”也如此，“尊重”与“尊重”之间的动作的边界是模糊的，如石毓智(1996)所提的例句(9)的“干干净净”的使用情况相似，所表达的意义是程度的加强。本文认为心理动词重叠也可以把它的时态特征图示如〈图 3〉，可以概括为[离散性:−][时间性:+]。“就+VV”表示的是“加大动作量”，而不是对动词重叠所表的动作量进行“多”或“少”主观量的评价。

4.2.2 表示“命令”的用例

关于“就+VV”表示“命令”的用例，可以参照以下用例。

(27)“大夫，只要能救我太太的命，你就救救她吧，哪怕要花一、二百法郎呢。”（《诱骗继承权》）(同例句(3))

「先生、妻の命を救うことができるなら、彼女を救ってください。100フランでも 200 フランでもかかっていいですから。」（笔者翻译）

(28)“你还有脸笑吗？这一切是怎么发生的？你当初的山盟海誓都算放屁吗？当着这些老同学的面，你就说说吧！”（《人啊，人》）

「おまえ、どのツラ下げて笑えるんだ?いったいどうしてこんなことになったんだ。昔の誓いなんか屁でもないってわけか。同級生の前で、きちんと話してみろ!」(『ああ、人間よ』)

我们可以看出例(27)中的“救救”(「助けてください」)所表示的并不是“尝试”义或“短时”义，而是表达“命令”、“请求”。例(28)的“说说”(「言ってみろ」)也是如此，不过它表达的“命令”、“请求”更加强烈，说话人不觉得听话人会“当着老同学的面”，“说出事情发生的理由”，所以可以说“说说”表示一种“威胁”。例(27)和例(28)的动词重叠是假然的动作行为，表示在某种条件下会发生或产生的动作、行为或状态。例(27)中的“救救”的成立条件是“只要能救”，例(28)的“说说”的成立条件是“(如果你敢)当着老同学的面(说)”。“救救”与“说说”以及它们的成立条件都是尚未发生的未然的动作，所以例句中的“救救”与“说说”是[起始点-][终点-]的动作，也就是说它们不具有时间性。本文发现“就+VV”表示“命令”的用例多数出现在“如果”、“只要”等假设句式里，可以归纳它们是“假言预测”的句子。“假言预测”也是邢福义1987提出的观点，“假言预测”是对“对未然事情的推测”，因为所表达的是虚拟事件，所以很难判断动作的时间参照点。我们认为“就+VV”表示“命令”的用例已不表时间，具有[离散性:-][时间性:-]的特征，所表达的意义是动作量的加强。

另外，我们也发现了以下表示“威胁”的例句。

(29)“不信你就试试，看咱们两个谁厉害!”(《金光大道》)(同例句(4))
「わしらのどっちがおっかねえかやってみっか!」(『輝ける道』)

(30)“告诉你，乐二叔的工你不能散，饭你得管，病你得治。你如果不这样办，咱们就试试看!”(《金光大道》)
言っとくぞ、楽二叔の首を切ってはならん。食事の面倒もあんたが見て、病気もあんたがなおすんだ。もし言う通りにやんなかったらどうするか見ていろ!」(『輝ける道』)

例(29)的“试试”(「やってみっか」)与例(30)的“试试看”(「どうするか見ていろ」)虽然形式上是表达“命令”，但它们并不是命令或请求听话人对方真的完成“就”之前的动作行为，而是相反提醒听话人不要让某种不好的情况发生。如果听话人做了“就”之前的动作行为，就会产生不好的后果，这是一种表“警告”、“威胁”的用法。这一类相当于日语的「〜てみろ」句式。本文认为例(29)与例(30)的动词重叠也是假然的动作行为，“试试”与“试试看”以及“就”前面的“不信”“不这样办”都是尚未发生的未然的动作。这类不涉及动作行为实现的动词重叠，也是[起始点-][终点-]的动作，具有[离散性:-][时间性:-]的特征，所表达的意义是动作量的加强。

4.3 同样的“就＋VV”在不同句子中所表达的“动作量”产生差异的情况

最后，根据以上的分析，我们试图对以下例句中“就＋见见”所表达的“动作量”的差异做出简单的说明。

(31)既然你这么说，我就见见他吧。(笔者作)（同例句(5)）

あなたがそう言うなら、彼に会ってみましょう。（笔者翻译）

(32)你不让我见他，我就非要见见他。(笔者作)（同例句(6)）

あなたが会わせてくれないなら、必ず彼に会ってやる。（笔者翻译）

例(31)是“据实总括”的句子，句中“见见”（「会ってみましょう」）是将然的动作行为，是本文分类于4.1节的[离散性:+][时间性:+]的重叠形式。“见见”在这里表达“减小动作量”。

而例(32)是“假言预测”的句子，句中“见见”（「会ってやる」）是假然的动作行为，是本文分类于4.2.2节的[离散性:−][时间性:−]的重叠形式，“见见”在这里表达“加大动作量”。

五、“就+VV”的对比分析

本文采用“主观量”的观点来考察“就”与“VV”式动词重叠共同使用的例句，把收集的例句分为三类个别进行了分析。我们认为“就”与[离散性:+][时间性:+]的动作行为共同出现时，“就”可以对动作量进行主观量评价，“就+VV”表达“减小动作量”。“就”与[离散性:−][时间性:+]及[离散性:−][时间性:−]的动作行为共同出现时，“就”不再对动作量进行主观量评价，而具有“强调”的功能，“就+VV”表示“加大动作量”。我们论证了“就+VV”式动词重叠的主观量与动词重叠的“离散性”与“时间性”有一定的关联。“就+VV”的表义体系可以简略表示如下：

VV的动作量	时态	离散性 时间性	“就”的功能
减小动作量	已然 将然	[离散性:+][时间性:+]	主观量评价
加大动作量	常然	[离散性:−][时间性:+]	强调
	假然	[离散性:−][时间性:−]	

附注

1) 李宇明(2000)的“复叠”是指“叠合”,“重叠”和“重复”的三大类型的总称。(有关内容可参见李宇明2000:299)
2) 李宇明先生举出以下例句,说明“多数”是词语重叠数量变化的核心语法意义。例句a、b分别是名词和量词的用例,例句c、d是形容词的重叠,所表达的意义是程度的加强。

   a.人人都是英雄汉。(李宇明1996:13)

   b.一枝枝怒放的梅花,争艳斗丽。(李宇明1996:12)

   c.暖和和地睡了一觉。(李宇明1996:16)

   d.当孩子的时候,衣服总是整整齐齐的。(李宇明1996:16)
3) 石毓智(1996)说明无论是哪个词类,基本都是中性量的,而重叠式则是定量的,不同词类的定量结果可能会有或大或小的差异。
4) 陆丙甫(1984)说明“少量”从不同角度可以解释成时间上的“早”或者“快”,空间上的“近”,以及推理上的“直截了当”等等。
5) 周守晋(2004)认为“就”前后成分分别是心理预期维度上的起点和终点。“起点”表示“最多”的主观评价,而“终点”表示“至少”的主观评价。
6) 一般认为,使用“就”可以排斥心理预期维度上的任何其他的选项,进行主观的强调。如:“这个地方就产玉米,不产别的粮食。”中的“就”相当于“只”的意思,在{大米、小麦、大麦、玉米、土豆……}的集合里,选择“玉米”,而排斥“玉米”以外的选项。
7) 李宇明(2000))提出汉语最少有两种时态系统,一种是以动作终点为着眼点换分出来的时态系统,如:“经历、完成、进行”等。而另一种则是以动作始点为着眼点换分出来的时态系统“起始点时态系统”,如:“已然、未然(将然,假然)、常然”。本文采用“起始点时态系统”来分析动词重叠的时态。

参考文献

本田啓 2007 副助詞タリの用法,『駿河台大学論叢』33:1-18。

李宇明 1996 论词语重叠的意义,《世界汉语教学》第1期:10-19。

李宇明 2000 《汉语量范畴研究》,武汉:华中师范大学出版社。

刘月华等 2001 《实用现代汉语语法》(增订本),北京:商务印书馆:160-166。

陆丙甫 1984 副词“就”的义项分合问题,《汉语学习》第1期:31-34。

石毓智 1996 试论汉语的句法重叠，《语言研究》第 2 期：1-12。

田　原 2006 《评定副词"就"的歧义现象》，北京：北京大学出版社。

王　还 1956 "就"与"才"，《语文学习》第 2 期：35。

王志英 2001『命令・依頼表現における中国語と日本語の対照研究』，京都大学博士论文。

刑福义 1987 前加特定形式词的"一 X，就 Y"句式，《中国语文》第 6 期

张恒悦 2012 《汉语重叠认知研究——以日语为参照系》，北京：北京大学出版社。

周守晋 2004 "主观量"的语义信息特征与"就"、"才"的语义，《北京大学学报》（哲学社会科学版），第 3 期：121-131。

语料资源

中日对译语料库，北京日本学研究中心，2003

CCL 语料库检索系统（网络版）　http://ccl.pku.edu.cn:8080/ccl_corpus/

电话交际中叹词“喂”的音义象似性考察

应学凤[1]　　朱婷儿[2]

（1. 浙江外国语学院中国语言文化学院；2. 上海外国语大学国际文化交流学院）

摘要：叹词“喂”作为电话交际中国人使用频率极高的一个词，权威词典对其标注的唯一读音是去声调，这与现实中的使用情况出现不同。本文探究了地域方言、社会方言中各因素对电话交际中叹词“喂”的变调的影响。结果发现以上各因素对其变调均有或多或少的影响。进一步探究发现，“喂”的变调是一种音义象似。电话交际中叹词“喂”读作去声多表示命令、不耐烦、不礼貌的语义，读作阳平多表示询问，具有亲切、客气、可商量的语义。对不同语境下“喂”的特殊变调研究进一步证实了这种音义之间的象似关系。

关键词：电话交际；喂；音义象似；疑问

一、引言

电话交际中，年龄不同，招呼次“喂”的读音也有差异。有网友分享了“新中年男子判定标准——接电话‘喂’是第几声”一文，讨论电话交际中的招呼词“喂”是发第二声还是第四声，引发了人们的热议。据《现代汉语词典》（第 7 版）（2018：1369），作为叹词的“喂”的读音只有标注为第四声。叹词“喂”用于见面打招呼时多读作第四声，跟词典标注的声调相同，“喂”用于电话交际时其声调却有多种。阳平调“喂”更是“喧宾夺主”，使用的频率高于声调，此外，电话交际中，在一定的语境下，“喂”也有读作上声的情况。叹词读作多个声调并不特别，不同的声调具有不同的语义。电话交际中招呼词“喂”的音义之间也具有关联，本文拟对电话交际中“喂”的声调与表达的语义的象似关系展开讨论。

二、叹词“喂”的研究现状

叹词“喂”在电话交际中产生了许多变体，而本文对其变调的研究主要是限于音高的变化，赵元任（1979:368）指出：引起对方注意的“喂”有三种读音，分别是“uê”“uai”“uei”。本文主要关注声调变化和表义之间的关联，把“wài”“wái”等音位变体和“w èi”“wéi”归为一类。

赵元任（1979:368）指出，叹词没有固定的字调，但是有一定的语调。胡明扬（1981）提出，叹词的语音有诸多特点，比如：超系统的调型、声调的表义性、音长的辨义作用等。刘宁生（1987）指出：“叹词的音高在本质上不是声调，而是一种具有超语言性质的特殊的音高类型。”

关于电话交际中叹词“喂”的音变现象的研究不多，方清明（2007）举例讨论了语用场合与声调变化的关系，但并未进行论证说明。钟劲松、田华（2007）讨论了“喂”的语用功能，但没有涉及语音变化。张如梅、周锦国（2011）提及了“喂”的变调具有表义作用，但没有具体论述。

三、电话交际中叹词“喂”变调现象的社会调查分析

3.1 调查说明

为了更好地了解电话交际中不同人群对于“喂”字声调选择的实际情况，笔者采取了网络问卷发放和实地询问两种方式，以获得一手资料，对“喂”字变调的规律进行探究。调查分为地域方言和社会方言两块，并在社会方言下设置了性别、年龄、文化水平、职业等四项因素作为调查内容，调查不同（地域）方言社团和言语社团在电话交际中对于“喂”字声调的选择情况。此次调查共回收网络问卷60份，其中有效问卷58份；实地询问人数24人；共计82位调查对象。

3.2 结果分析

3.2.1 地域方言对于“喂”声调选择的影响

调查对象分别来自安徽、重庆、福建、广东、广西、贵州、河北、河南、湖北、湖南、吉林、江苏、江西、南京、山东、山西、陕西、四川、天津、云南、浙江等地，基本涵盖了我国的七大方言区。来自官话区的32人中，有22人表示会在电话交际中使用阳平调“喂”；来自非官话区的有50人，其中37人表示会在电话交际中使用阳平调“喂”或者上声调“喂”。

官话区和非官话区的人在电话交际中“喂”字变调比率如表1所示。

表1 官话区和非官话区人在电话交际中“喂”字变调率对比表

地区	总人数	使用阳平调人数	变调率
官话区	32	22	0.6875
非官话区	50	37	0.74

接受调查的 82 名对象中共有 55 人表示通常情况下在电话交际中选择阳平调的“喂”，约占到了总调查人数的 67%，这些人来自全国各个省市，分布很广。有 4 人使用上声调，约为调查人数的 5%，分别来自安徽、福建、浙江等地。选择去声“喂”的 23 名调查对象约占总人数的 28%，其中有一位福建人、一位广东人、一位贵州人、两位江西人、两位山西人、一位陕西（陕南）人、四位四川人、一位天津人、一位云南人、两位重庆人、七位浙江人。

从以上的数据分析可得出几点结论：

1）大约有三分之二的人在电话交际中选择阳平调“喂”，占到了总调查人数的大多数。说明电话交际中“喂”的变调现象普遍存在。

2）官话区的人在电话交际中的变调率为 68.75%，非官话区的人们的变调率为 74%。存在一定的差异，但是差值较小，说明普通话的基础方言——北方方言对电话交际中“喂”字去声调保留有一定的作用，但是作用较小。

3）所有接受调查的四川人、重庆人、贵州人、云南人以及陕南人都表示在电话交际中选择使用去声调“喂”，占比达百分之百。并且以上各个地区的人们使用的方言均为西南官话，因此基本可以认为西南官话区的人们一般倾向于使用去声调“喂”，保留了其本音。但同时，调查对象中有一人是武汉人，武汉话同属于西南官话，但该人表示在电话交际中使用阳平调“喂”，结合她的身份特点，在下文考虑是其他因素的影响了变调。

4）接受调查的共两位山西人都选择了去声调“喂”，且都来自晋中，基本认为晋语区的人们倾向于使用去声调“喂”。

5）由于受访的广东人只有一位，虽他选择了去声调“喂”，然而难以下定论。但是可以猜测粤语影响了当地人在电话交际中对去声调“喂”的使用。

6）天津、福建、江西、浙江等地既有选择阳平调“喂”的，又有选择去声调“喂”的，可以考虑除地域外的其他因素影响变调，放在下文讨论。

7）七位在电话交际中使用去声调"喂"的浙江人约占所有接受调查的浙江人的20%，分别来自台州、宁波（慈溪、宁海）、丽水、杭州等地。其中台州、宁海属于台州片；杭州、慈溪属于太湖片；丽水属于丽衢片。除这些吴语片有多种情况外，其余浙江地区一般情况下使用阳平调"喂"。

综上所述，除西南官话区、晋语区的人们使用的是去声调"喂"，与词典标注的本音一致以外，其余各省市的人们在电话交际中有阳平调或上声调的"喂"的使用，存在变调现象。由此可以基本推断横截面上的现今地域因素对于电话交际中"喂"字变调的影响较小，只有少数区域仍然使用"喂"字本身声调。

3.2.2 社会方言对于"喂"声调选择的影响

一个人因为先天或者后天的因素和与他有共同特质的人自然聚集成群，彼此之间交流比其他不具有该共同特质的人密切，在共同语基础上的语言创新能够在言语社团中迅速推广，因而形成有自己特色的语言变体。

在探究电话交际中"喂"变调现象的影响因素时，除了考虑地域方言，即通常所说的方言的影响外，还应该考虑年龄、性别、文化程度、职业等促成不同社会方言形成的影响因素。

3.2.2.1 年龄因素

从年龄来看，接受调查的人年龄下至12岁，上至83岁。以50岁为界，将其分为两个年龄段，其中12至49岁年龄段中，使用阳平调或上声调"喂"的达80%；50至83岁年龄段中，使用阳平调"喂"的占25%。再以60岁为界进一步细分，发现60至83岁的老人在打电话时使用阳平调"喂"的比率为20%。

不同年龄段人群于电话交际中"喂"变调比例如表2所示。

表2 不同年龄段人群于电话交际中"喂"字变调率对比表

年龄	变调率
12-49岁	0.8
50-59岁	0.29
60-83岁	0.2

据此，可以认为年龄影响了电话交际中人们对于“喂”字声调的选择：年轻群体在电话交际中更加倾向于使用阳平调“喂”，变调比例高；年龄越大，越倾向于选择去声调“喂”。这既可以从老年人的生理特点去解释，也可以从他们所处社会环境特点去解释。从生理上来看，年纪越大，听力衰退，因此老年人常常听不清声音，认为声音小。而一般人对于声音大小的判断是通过听到的自己的说话声音来衡量的。简单来说，就是老年人听到的声音小了，听不清了，在人脑系统地控制调节人体行为之下，就会不自觉地放大说话的音量直至自己能听清楚为止。从他们的生活经历来看，六十岁及以上的老人成长生活的是充满激情的革命和建设年代，人容易激动，说话声音自然也就大；加之从前人口少，居住分散，通讯设备落后，加大音量有助于更好地交流沟通。以上几点因素造成了老年群体说话时喜音量大，也就是音强强，哪怕是如今人口密度高了，通讯设备发达了，他们的习惯也保留了下来，于电话交际中也不例外。而音强与声波的振幅有关，一般来说，语音的强弱与发音时的用力程度和呼出气流大小有关，说话时越用力，呼出气流量越大，振幅就越大，发出的声音越强。而发阳平调“喂”与发去声调“喂”相比，可以明显感知到发去声调“喂”时更加容易用力。如此一来，老年人在电话交际中倾向于使用去声调“喂”也就不难理解了。

3.2.2.2 性别因素

在接受调查的82位对象中，共有男性40名，女性42名。其中男性使用阳平调“喂”的比例达67.5%；女性变调比例达到为76%。

不同性别人群于电话交际中“喂”的变调比例如表3所示。

表3 不同性别人群于电话交际中“喂”字变调率对比表

性别	总人数	使用阳平调人数	变调率
男	40	27	0.675
女	42	32	0.76

据此发现，女性在电话交际中使用阳平调“喂”的比例高于男性，性别因素影响了人们在电话交际中对“喂”字声调的选择。

此外，还有一点引起了笔者的注意。在 82 名受访者中，有四位表示打电话时会使用上声调。这四位受访者均为年龄在三十岁以下的年轻女性，可见电话交际中“喂”字变为上声调应是年轻女性这一言语社团中较为常见的。事实上，生活中小孩有时也会使用，但是老人和男性中则不曾见。更为有意思的是，当要求受访的几位年轻女性模拟打电话时所使用的上声调“喂”时，笔者发现她们均拖长了声音，也即音长要长于普通的上声调字。这事实上类似于北京地区的“女国音”现象——北京年轻女性发舌面前音“j”“q”“x”时，带有明显的舌尖色彩，发音接近“z”“c”“s”。这种“女国音”听起来温婉娇柔，是年轻女性为了凸显其女性特征而为之。同理，部分年轻女性在电话交际中使用音长较长的上声调“喂”，听起来嗲声嗲气，富有十足的女性特征。

3.2.2.3 文化水平因素

在接受调查的人群中，有 1 人是文盲，4 人是小学学历，中学及大专学历 31 人，本科及以上学历的 46 人。

不同文化水平人群于电话交际中“喂”变调的比例如表 4 所示。

表 4 不同文化水平人群于电话交际中“喂”字变调率对比表

文化程度	变调率
文盲	0
小学	0.25
中学及大专	0.58
本科及以上	0.81

如上图所示，该文盲表示在打电话时会使用去声调“喂”，不发生变调；小学学历的受访者使用阳平调“喂”，即发生变调的比例为 25%；中学及大专学历的受访人群使用阳平调“喂”的比例为 58%；本科及以上学历的人使用阳平调“喂”的比例最高，为 81%。显然，文化水平影响人们在电话交际中“喂”字变调，并且是文化素质越高的人群越倾向于变调，使用阳平调“喂”。

3.2.2.4 职业因素

一般而言，职业类型可以分为六类，分别是技能型、研究型、艺术型、经管型、社交型、事务型。不同的人适合从事不同的职业类型；并且，从事一项特定职业后，该职业的特点会在方方面面影响一个人。

本文结合调查发现以下几点规律：

第一，除技能型、经管型职业外的四种职业类型的人群较多地在电话交际中使用阳平调“喂”。而技能型、经管型职业的人群由于内部职业种类复杂，既有选择去声调“喂”的，也有使用阳平调“喂”的。

第二，结合文化水平来看，文化水平较低的人从事体力性质的技能性劳动，他们更多地在电话交际中使用去声调“喂”。

第三，社交型职业的人群普遍表示在电话交际中会使用阳平调的“喂”。

第四，服务行业的人群普遍在电话交际中选择使用阳平调“喂”。

总体而言，除了以上几点规律外，职业因素本身对于电话交际中“喂”变调现象的影响不是很大，多是和其他因素相互结合发生作用。

以上文字阐述了地域方言和社会方言内部各种因素对于电话交际中“喂”变调的影响结果，在这里简单小结：

1）从地域方言来看，官话区的变调比例稍低于非官话区，地域方言对于“喂”字变调有一定影响。然而，除了发现的西南官话区人们普遍使用去声调的“喂”，晋语和广东话（均为非官话区）可能影响人们选择去声调“喂”这一特殊规律外，其余地区都存在阳平调“喂”和去声调“喂”并用情况，而且多数地区更多地使用阳平调“喂”。可见，地域方言因素对于人们在电话交际中“喂”字声调的选择影响很小，应该从其他方面考虑变调原因。

2）年龄方面，年轻人比老年人在电话交际中“喂”字变调比例更高，更加倾向于使用阳平调“喂”。

3）性别方面，女性比男性更多地使用阳平调“喂”，但是性别内部比例差值不是很大。

4）文化水平方面，文化素质较高的人群变调比例更高，更加倾向于使用阳平调“喂”。

5）职业方面，社交型、服务类行业的人员更多地使用阳平调“喂”；从事体力性质的技能型职业的人群则更多地使用去声调“喂”。

这里仅仅是归纳了影响的结果，至于其原因将放在下文具体探究并加以说明。

四、电话交际中叹词“喂”的音义关联

“喂”是表示招呼应答的叹词的典型，在《现代汉语词典》（2018:1369）中的例句是：

（1）喂，你上哪儿去？

（2）喂，你的围巾掉了。

检索北京语言大学 BCC 语料库发现，它更多地用于表示命令、责备、着急、喝止甚至是辱骂等场合，如：

（3）喂！你进来，我有话对你说。

（4）喂！你听见没，还不快往那个方向去看看！

（5）喂！你做什么扇忽耳朵？你这个混蛋，人家跟你说话，好好听着！

（6）喂！你们两个没有听到我的话吗？

（7）喂！不要过来！……你放手！

（8）你们要干什么？喂！妈的，混蛋！

非电话交际中的叹词“喂”读作去声，表示打招呼、提醒。但前文调查发现，在电话交际中，招呼语“喂”很多时候需要读作阳平才礼貌，读作去声往往带有命令、不耐烦的语气。为什么读作阳平可以表示礼貌，读作去声表示不礼貌，非电话交谈中又多读作去声呢？我们认为，这是一种语音象征、音义象似。

面对面交流时，“喂”读作去声，表示打招呼、提醒。然而在电话交际中，叹词“喂”虽然也可以表示打招呼，但这里更多的是表示“在吗？”的询问语气，语义的重点不在打招呼、提醒，而是询问，而升调是表示疑问的最佳方式。因此在电话交际中“喂”多读作阳平是恰当的，是一种典型的音义象似。读作阳平的“喂”的客气、礼貌、亲切的语气是依附于“喂”的询问语义上的。询问的语义表示可以商量，进而表示客气、亲切和礼貌。电话交谈中叹词“喂”读作去声是有条件的，往往表示急切、命令、不耐烦或其他原因。比如有身份等级差异的，上级对下级，家长对小孩，或者事情紧急、急迫，又或者环境嘈杂，听说者听不清楚等。上文调查显示，区域方言背景对电话交际中“喂”的声调变化影响不大，但社会方言背景却有影响，如受教育程度低的往往读作去声的多。从事体力性质的技能型职业的人群对于礼貌原则的遵守度低，可以从文化水平方面去解释，其实还跟他们经常处于嘈杂的环境，需要大声说话有关。而社交型、服务行业的人群使用阳平调“喂”，注意遵守礼貌原则，很大程度上出于工作的需要——所谓“顾客

即是上帝”。许多从事该类职业的受访者表示，他们在工作中接打电话时不使用“喂”，而是“你好”，职业所致的对于礼貌原则的遵守可见一斑。

叹词没有固定的声调，而是通过变化着的语调来表现不同的情感态度和意义。本文的研究对象——电话交际场景下的叹词“喂”的变调现象正是该结论的典型表现。也即是说，电话交际中叹词“喂”的变调，变的不是声调，而是具有传情达意功能的语调。那么，与其说调查中发现多数人在电话交际中使用阳平调“喂”，不如说是使用表示疑问的升调“喂”，询问是否有人在的意思。

在不同场景下，升调“喂”可以表示不同的疑问内容。

在电话交际中，通常使用“喂”的是接电话方。

疑问内容一：你是谁？在不知对方身份的情况下，需要确定对方的身份，向对方发出“你是谁？”的疑问，如：

（未知来电号码）响铃。

接电话方：喂？（你是谁？）

打电话方：你好，我是XXX，请问是XXX吗？

对话继续。

疑问内容二：有什么事情？在已知对方身份的情况下，向对方发出“有什么事情？”的疑问，如：

（已知机主身份）响铃。

接电话方：喂？（有什么事情？）

打电话方：妈妈，我晚上回家吃饭。

对话继续。

疑问内容三：有人在听吗？在少数情况下，打电话方会成为一次电话对话中的首次发声者。如在电话接通后许久没有接电话方的回应，或是因为信号问题，或是因为接电话方刻意等待打电话方先发声，或是因为接电话方临时有事，接起电话后无暇顾及，或是接电话方无意间接起了电话等等。在发生以上几种情形时，打电话方会首先发声，这里的“喂？”，多用于询问“有人在听吗？”这种内容。

结合上述三个场景的举例，本文认为表达疑问语气是“喂”在电话交际中变调的最重要原因，疑问和升调之间有天然的关联。

五、不同语境下电话交际中“喂”的声调和语义

上文提及的电话交际中“喂”的变调是由于不同的地域方言和社会方言等因素引起的，这是在叹词“喂”在用于交际、进入语境前就确定的。事实上，现实生活中，叹词“喂”进入语境之后的变调现象要复杂得多。原本使用升调“喂”的人群，可能在不同语境的触发下，发生变调，变为降调的“喂”。

5.1 语境一：心情烦躁或生气情况下的电话交际

（电话铃响）

女：喂（wèi）。

男：还在生气吗?

女：你还打给我干什么?

对话继续。

上述场景发生在男女朋友吵架时，女方接起男方的电话。笔者所调查的人群中就有几名年轻女性，她们均表示在心情平静或愉悦时，也即一般情况下，使用升调“喂”；但在心情不佳、烦闷急躁时，若接起关系亲密之人或是致使她们心情烦躁的对象的电话，会使用降调“喂”。这是一种音义象似性。全降调去声的“喂”具有命令性、不可商量的意味，阳平、上声的“喂”表示疑问，可商量的意思。所以，在一般的电话中，打招呼多用阳平、上声的“喂”打招呼，表示“有人吗”的意思。在生气的时候，才用去声的“喂”开头，表达质问、气势汹汹的语气。

5.2 语境二：紧急情况下的电话交际

（电话铃响）

某急救医生：喂（wèi）！我这里刚送来一个车祸病人等着抢救，回头打给你。

电话挂断。

该场景发生在医院的急诊室，某急诊医生正要去抢救生命垂危的病人。上文中分析过，文化水平和职业对于“喂”变调的影响，医生属于高素质人群，在一般情况下使用升调“喂”。情急的场合下多用降调的“喂”，与情况紧急，刻不容缓，不容商量的境况匹配，也是一种语音象似性。

5.3 语境三：嘈杂环境中的电话交际

（电话铃响）

接电话方：喂（wèi），我在超市里，周围很吵听不清，等我出去了打给你。

打电话方：好的，再见。

接电话方由于身处环境嘈杂的超市，因此不得不使用更容易用力的降调“喂”，使自己的声音大些。这类似于老年人在电话交际中喜用降调“喂”的情况，降调“喂”发音时更容易用力，发出的音音强更强，老年人听力衰退，会不自觉地放大说话的音量直至自己能听清楚为止。

5.4 语境四：信号异常时的电话交际

（电话交际进行中）

甲：喂（wéi）？你在听吗？喂（wéi）？喂（wéi）？喂（wèi）！

乙：在听。抱歉，刚才信号出问题了。

对话继续。

该场景不同于上述三个场景，“喂”使用于电话交际进行中而非交际的开场。甲乙两人原本在正常交流，但是由于乙方手机信号不好，交际发生了中断。甲方先是使用了表示疑问的升调“喂”，事实上等同于“你在听吗？”。在仍未得到回应的情况下，使用了降调“喂”——一则是降调“喂”发音时更容易用力，发出的“喂”音强更强，声音更大，用以唤起对方；二则是连续发声却得不到回应情况下变得焦急，言语颇有失态，这也是音义关联。

六、结语

本文在社会调查的基础上，探究了地域方言，社会方言中年龄、性别、文化水平、职业等各因素对于电话交际中叹词“喂”的变调的影响。结果发现地域方言、社会方言等因素对“喂”的变调有一定影响。进一步探究发现，“喂”的变调是一种语义、功能和语音的关联，是一种象似关系。电话交际中叹词“喂”变的不是简单的声调，也即字调，而是具有疑问功能的语调。电话交际中叹词“喂”读作去声多表示命令、不耐烦、不礼貌的语义，读作阳平多表示询问，具有亲切、客气、可商量的语义。对不同语境下“喂”的特殊变调研究进一步证实了这种音义之间的象似关系。

参考文献

方清明 2007. 论“喂”的音义分化，《修辞学习》第5期。

胡明扬 1981. 北京话的语气助词和叹词（上），《中国语文》第5期。

刘宁生 1987. 叹词研究，《南京师范大学学报(社会科学版)》第3期。

赵元任 1979. 汉语口语语法，北京：商务印书馆。

张如梅，周锦国 2011. 略谈叹词“喂”的读音，《红河学院学报》第4期。

中国社会科学院语言研究所词典编辑室（编） 2018. 《现代汉语词典》，北京:商务印书馆。

钟劲松，田华 2007. 说电话会话用语“喂”，《黄冈师范学院学报》第1期。

中国語文法研究 2021年巻
Journal of Chinese Grammar June 2021

発行日 2021年6月15日

編　集 中国語文法研究会

〒574-0013 大阪府大東市中垣内3-1-1
大阪産業大学教養部 張黎研究室
Tel：072-875-3008 内線4528
E-Mail：zhangli@las.osaka-sandai.ac.jp

発行所 株式会社 朋友書店

〒606-8311 京都市左京区吉田神楽岡町8番地
Tel：075-761-1285／Fax：075-761-8150
フリーダイヤル：0120-761285
E-Mail：hoyu@hoyubook.co.jp
ホームページアドレス（网址）：http://hoyubook.co.jp/
ISSN 2186-4160

關西外國語大學孔子學院

関西外国語大学孔子学院は2009年9月に北京語言大学を中国側の協力大学として設立されました。現在、関西外国語大学孔子学院には中国語教育センター、中国語教員養成センター、中国留学・就職準備教育センター、中国語試験センター、現代中国研究センター、中国文化活動センターが設置され、中国語の国際的普及と中国文化の理解促進にかかわる活動を行っています。

市民向け中国語講座や中国文化講座では、大阪府を中心に多くの受講者や参加者が集まり好評を博しています。また、中国語会話サロンを実施し、受講者のコミュニケーションの輪を広げています。地域住民や地元自治体、大阪府や枚方市の日中友好協会と協働して、「中秋節月見交歓会」や「ひらかた多文化フェスティバル」を開催し、文化交流活動にも積極的に取り組んでいます。

ＨＳＫ（漢語水平考試）の実施運営主体として年複数回の試験を実施しています。大学生や孔子学院中国語講座受講者、社会人などの多くの方が受験し、その数は年々増加しています。

「作文コンクール入賞作品」の新聞掲載

関西外国語大学孔子学院の中国語講座受講者の皆さんから中国語・中国文化学習の経験などを綴った素晴らしい作文を多く頂きました。多彩な作品が人民日報海外版(2021年1月1日文学＆芸術特集)と関西華文時報（2021年2月1日教育特集）に掲載されました。

関西外国語大学孔子学院の今後の主な活動予定

【９月】孔子学院中国語講座（後期）、キッズクラス　スタート

【１０月～１２月（予定）】

中秋節月見交歓会、ひらかた多文化フェスティバル、第11回中国写真コンクール、第9回孔子学院作文コンクール、第7回大阪府内中国語スピーチ・朗読コンテスト

ＨＳＫ試験 12月5日(日)実施予定 筆記試験１級～６級

申込受付及び受験料振込期間 ：10月15日 ～ 10月29日

※上記の行事は事前の予告なく中止や変更の可能性があります。詳しい情報は随時下記HPに掲載いたします。

※左側の写真はいずれも昨年撮影したものです。行事の有無については下記事務局にお問い合わせください。

関西外国語大学孔子学院事務局（関西外国語大学御殿山キャンパス・グローバルタウン内）

〒573-1008 大阪府枚方市御殿山南町6-1　Tel : 072-805-2709　Fax : 072-805-2767

http://www.kansaigaidai.ac.jp/special/confucius/

E-mail : kongzi@kansaigaidai.ac.jp

関西外国語大学孔子学院